버리고 사는 마음
그 마음이 부처일세

고승열전 **2** 겸익스님

버리고 사는 마음
그 마음이 부처일세

윤청광 지음

우리출판사

윤 청 광

전남 영암 출생으로 동국대학교에서 영문학을 전공했고, MBC-TV 개국기념작품 공모에 소설 〈末島〉가 당선되었으며, MBC에서 〈오발탄〉 〈신문고〉 〈세계 속의 한국인〉 등을 집필했다. 그 동안 대한출판문화협회 상무이사 · 부회장 · 저작권대책위원장 · 한국방송작가협회 이사 · 감사 · 방송위원회 심의위원을 역임했고, 〈불교신문〉 논설위원을 거쳐 현재 〈법보신문〉 논설위원, 법정스님이 제창한 〈맑고 향기롭게 살아가기 운동〉 본부장, 출판연구소 이사장을 맡아 활동하고 있다. BBS 불교방송을 통해 〈고승열전〉을 장기간 집필했고, ≪불교를 알면 평생이 즐겁다≫ ≪불경과 성경 왜 이렇게 같을까≫ ≪회색 고무신≫ 등의 저서가 있으며, 기업체 · 단체 연수회에 초빙되어 특강을 통해 '더불어 사는 세상'을 가꾸고 있다.

BBS 인기방송프로 고승 열전 ② **겸익스님**
버리고 사는 마음 그 마음이 부처일세

2002년 10월 29일 개정판 1쇄 발행
2009년 8월 27일 개정판 2쇄 발행

지은이/윤청광
펴낸이/김동금
펴낸곳/우리출판사
등록/1988년 1월 21일 제9-139호
주소/120-013 서울특별시 서대문구 충정로 3가 1-38
전화/(02)313-5047, 5056
팩스/(02)393-9696
E-mail/woribook@chollian.net / www.wooribooks.co.kr

ISBN 89-7561-173-6 03810

책값은 뒷표지에 있습니다.

불가에서 으뜸으로 꼽는 것이 자비입니다. 그렇다면 자비란 대체 무엇이겠습니까.

부처님께서는 사람은 물론이요 짐승까지도 그 목숨을 아끼고 소중히 여기라 이르셨습니다.

사람이든 짐승이든 한 마리 벌레까지도 어떻게 하면 죽일까를 생각하지 말고 어떻게 하면은 살릴 수 있을까만을 생각하라 이르셨지요.

저 사람을, 저 짐승을, 저 벌레를 어떻게 하면 살려줄 수 있을까, 어떻게 하면 더 편히 살게 해줄 수 있을까, 늘 이렇게 생각하는 것이 자비라고 하셨습니다.

또 부처님께서는 어떻게 하면 더 많은 재산을 내 것으로 만들 수 있을까 생각하지 말고, 어떻게 하면은 내가 가진 것을 남에게 나누어 줄 수 있을까를 생각하라 하셨습니다.

더 좀 많이 나누어 주고, 더 좀 많이 베풀어 주기 위해서 애쓰는 사람, 바로 그런 사람이 자비로운 사람이라고 이르셨지요.

남을 미워하고 원망하는 대신에 용서해주고 위로해주고 감싸주려는 마음, 바로 그것이 자비라고 가르쳐주셨습니다.

차례

1
괴질과 가뭄

때는 지금으로부터 1400여 년 전인 까마득한 옛날 백제 제25
대 무녕왕 6년 5월이었다.

어두운 안색을 한 신하가 급히 무녕왕을 찾았다.

"대왕마마께 아뢰옵니다."

무녕왕이 근심스러운 표정으로 신하를 바라보았다.

"그래, 무슨 일인지 어서 이르라."

신하는 머리를 조아리며 어렵게 말을 꺼냈다.

"예, 아뢰옵기 황송하오나 나라 안에 괴이한 질병이 크게 번
져서 수많은 백성들이 죽어가고 있사옵니다."

"괴이한 질병이라니? 대체 어떤 괴질이기에 백성들이 죽어간
단 말이드냐?"

"아뢰옵기 황송하오나 이 괴이한 질병에 걸리기만 하면은 온

몸이 불덩이처럼 펄펄 끓어오르고 하혈을 하다가 손 쓸 겨를도 없이 죽는다고 하옵니다."

무녕왕은 근심스런 표정으로 말했다.

"어허! 저, 저런, 그렇지 아니해도 지난 3월부터 석 달동안 비가 한 방울도 내리지 아니해서 걱정이거늘 아니 이번에는 또 괴질이라니, 대체 이게 무슨 괴이한 일이던고? 이것 봐라."

"예."

"급히 사람을 흥륜사에 보내어 겸익대사를 모셔오도록 해라."

"예."

이윽고 겸익스님이 왕명을 받들어 황급히 왕궁으로 들어왔다.

"소승, 어명 받자옵고 대왕마마께 문안올리옵니다."

"잘 오셨소이다, 대사. 어서 이리 가까이 오도록 하시오."

"예."

"대사께서도 잘 아시겠소이다마는 나라에 지독한 가뭄이 들어 큰 걱정이던 차에 이번에는 또 난데없는 괴질이 퍼졌다하니 대체 이게 무슨 변고란 말인지, 내가 하도 답답하여 대사를 불렀소이다."

겸익스님이 머뭇거리며 입을 열었다.

"소승 말씀드리기 황송하오나……."

"이, 이것 보시오, 대사! 조금도 괘념치 마시고 어서 이르시오."

무녕왕이 재촉하자 겸익스님은 무녕왕을 쳐다보며 조용히 말했다.

"소승이 알기로는 지난 3월부터 5월까지 석 달동안 가뭄이 들어 밭농사는 이미 말라 죽었고, 논농사는 파종조차 못한 줄로 아옵니다."

무녕왕이 탄식조로 낮게 신음소리를 내었다.

"그, 그렇소이다."

겸익스님이 말을 이었다.

"더더구나 푸성귀마저 구할 길이 없으니 백성들은 모두가 초근목피로 연명을 하고 있는 터라, 기력이 쇠할대로 쇠한데다가 식수마저 구하기가 힘들어 아무 물이나 물만 보면 마시는 지경이니, 그래서 질병이 퍼진 줄로 아옵니다."

무녕왕이 고개를 끄덕였다.

"어허, 듣고보니 과연 그렇겠구먼. 허면 대체 이 일을 어찌하면 좋겠소이까? 어서 대사가 좀 일러 주시오."

겸익스님이 조심스럽게 말했다.

"세속을 떠난 출가 수행자가 감히 어찌 정사를 입에 올릴 수 있겠습니까?"

무녕왕이 답답하다는 듯 겸익스님의 얼굴을 쳐다보았다.

"어허, 이것 보시오, 대사! 백성들이 병들어 죽어가는데, 어찌 세속사와 정사를 가릴 수가 있겠소이까? 조금도 괘념치 마시고 어서 이르시오. 대체 이 일을 어찌하면 좋겠소이까?"

겸익스님이 무녕왕을 쳐다보며 무겁게 입을 떼었다.

"하오면 소승 감히 한 말씀 올리겠사옵니다."

무녕왕이 재촉했다.

"어서 말씀을 해주시오."

겸익스님은 잠시 망설이다가 이윽고 결심을 한 듯 무녕왕을 쳐다보며 큰 목소리로 말했다.

"우선 나라의 양식 창고를 열고 백성들에게 양식을 나누어 먹여 기력을 되찾게 해야 할 것이며……."

"그리고, 또요?"

"그 다음에는 모든 백성들이 물을 끓여서 먹도록 하명하실 일이며……."

"그리고, 또 어떻게 하란 말이오?"

"기왕에 병으로 죽은 사람은 그 시신을 들판에 버리지 못하게 할 것이며 반드시 땅에 깊숙이 묻거나 화장토록 하심이 마땅한 줄로 아옵니다."

무녕왕이 고개를 끄덕이며 대답했다.

"음! 고맙소이다 대사, 내 당장 그대로 시행토록 하명을 할 것이오."

무녕왕은 겸익스님의 말을 듣자마자, 옆에 있던 신하를 불렀다.

"이것 봐라."

"예, 대왕마마."

"겸익대사께서 이르신대로 지금 당장 시행토록 하라."

"예, 대왕마마! 성은이 망극하옵니다."

겸익스님이 무녕왕에게 고개를 숙여 인사하며 말했다.

"하오면 대왕마마, 소승 그만 물러갈까 하옵니다."

겸익스님이 돌아가려하자 무녕왕이 손을 저으며 말렸다.

"아, 아니오 대사, 기왕에 오셨으니 내 한 가지 더 물어볼 것이 있소이다."

돌아가려던 겸익스님이 다시 무녕왕을 바라보았다.

"하오시면 하문하시옵소서, 대왕마마."

무녕왕이 근심어린 목소리로 물었다.

"대체 어쩐 까닭으로 가뭄이 드는 것이오, 대사?"

겸익스님이 머리를 숙이고 대답했다.

"가뭄이 드는 것이나 홍수가 일어나는 것은 이 모두가 지수화풍의 오묘한 인연과 조화가 맞아야 하는 까닭이니, 인연이 합해지면 땅에 비가 내릴 것이요, 땅에 인연이 닿지 아니하면은 바다에 떨어지는 것이옵니다."

무녕왕이 낮은 목소리로 또 물었다.

"허면은 괴질이 일어나는 까닭은 또 무엇이란 말씀이시오?"

겸익스님은 크게 한숨을 내쉬며 어렵게 입을 열었다.

"괴질이 생겨난 까닭을 소승이 알고는 있사옵니다."

무녕왕이 놀라 다그쳐 물었다.

"그러면은 어서 말씀을 해주시오. 대체 어쩐 까닭으로 이 나라에 괴질이 자주 일어나는 것이오?"

겸익스님이 침울하게 말했다.

"하오면 소승, 감히 죽기를 각오하고 말씀을 올리겠사옵니다."

무녕왕이 눈을 크게 뜨고 겸익스님을 쳐다보았다.

"아, 아니, 그건 또 무슨 말씀이시오? 죽기를 각오한다니요?"

"국법을 어기는 일이니 죽기를 각오 해야지요."

"으응?"

겸익스님이 죽기를 각오하고 괴질이 퍼진 까닭을 말하겠다고 하니 무녕왕은 무슨 영문인지를 몰라 눈을 크게 뜨고 겸익스님을 바라보았다.

"아니, 대사, 그게 대체 무슨 말씀이시오?"

"소승 그러면 말씀 올리겠나이다……. 우리나라는 심할 적에는 일 년에 십수 차례 싸움을 한 적이 있사옵니다."

겸익스님의 말에 무녕왕이 당연하다는 듯 말했다.

"그, 그거야 우리가 가만히 있어도 고구려에 말갈에 때로는 신라까지도 우리 땅을 넘보고 있으니 싸울 수 밖에요."

"때로는 우리 군사들이 죽기도 하고, 때로는 적군 군사들이 떼죽음을 당하기도 합니다."

겸익스님의 말에 무녕왕이 수긍했다.

"그야 그렇지요. 지난 봄에만 해도 말갈 군사들이 우리 국경을 침범했다가 700여 명이 몰살을 당했었소이다."

"우리 군사들이 싸움터에서 죽으면 마땅히 예를 갖추어 장사를 지내주고 있사옵니다마는 적군 병사들의 경우에는……."

무녕왕이 겸익스님의 말을 받았다.

"그야 장사지내는 것을 국법으로 엄히 금하고 있소이다."

겸익스님이 무녕왕을 잠시 쳐다보다가 말을 이었다.

"그래서 결국 적국 병사들의 시신은 산이나 들이나 강에 버려진 채 썩어가고 있사옵니다."

겸익스님이 잠시 말을 멈추자, 겸익스님의 다음 말이 궁금해진 무녕왕이 재촉했다.

"그, 그래서요?"

잠시 뜸을 들인 겸익스님이 조심스럽게 다시 입을 열었다.

"말씀올리기 황송하옵니다만, 적국 군사들의 시신이라 하여 장사를 지내주지 못하게 하면 그 나쁜 인연으로하여 바로 그 시신에서 괴질이 생겨 결국 우리 백성들까지 괴질로 죽게 되옵니다."

무녕왕이 놀라서 소리쳤다.

"아, 아니, 그러면 그 적국 군사들의 시신 때문에 괴질이 일어난다는 말씀이시오, 대사?"

겸익스님이 고개를 끄덕이며 대답했다.

"그러하옵니다, 대왕마마."

얼굴을 찌푸리고 듣고있던 무녕왕이 겸익스님을 쳐다보며 물었다.

"아니, 그러면 대사 말씀은?"

겸익스님이 비장한 얼굴을 하고 무녕왕을 올려다 보았다.

"죽기를 각오하고 소승이 감히 말씀 올리거니와 괴질이 다시는 이 땅에서 생겨나지 않게 하시려면 비록 적국 군사의 시신이라 할지라도 마땅히 예를 갖추어 장사를 지내주심이 도리인 줄로 아옵니다."

무녕왕이 불같이 화를 내며 소리쳤다.

"그것은 안될 소리요! 그자들은 우리 백성을 죽이고 우리 백성의 재물을 노략질 하고 우리 땅을 빼앗으려던 도적떼들이거늘 감히 어찌 그자들의 시신을 장사지낸단 말이오?"

겸익스님은 간곡하게 애원하였다.

"하오나, 대왕마마! 원한은 또 원한을 낳고, 그 원한은 또 더 큰 원한을 낳고, 죽고 죽이는 일이 끝이 없을 것이옵니다."

무녕왕은 화가 나서 못참겠다는 듯 떨리는 목소리로 말했다.

"이것보시오, 대사! 대사는 벌써 잊으셨소이까? 우리의 선조이신 개로대왕께서는 고구려 첩자 승려인 도림에게 속아, 성을 쌓고 왕궁을 새로 짓고 연못을 파는 등 국고를 탕진하셨다가 저들의 계략에 말려들어 원통하게도 한주를 빼앗기고 돌아가셨소. 그런데 오늘 대사는 나에게 적국 군사의 시신을 장사지내주라고 감히 어찌 말할 수가 있단 말이오?"

겸익스님은 안타까운 마음으로 무녕왕에게 말했다.

"대왕마마, 소승은 대왕마마께옵서 괴질이 일어난 까닭을 말하라 하명하시옵기에 감히 죽기를 각오하고 말씀을 올렸사옵니다. 적군의 시신이라 하여 산과 들에 버려두면 그 시신이 썩으면서 괴질이 생겨, 결국은 우리 백성들에게까지 그 화가 미치는 것이옵니다. 하오나, 국법을 어긴 죄는 달게 받을 것이오니 어떤 벌이든 내려 주시옵소서."

그러나 무녕왕은 겸익스님의 말을 더 이상 듣기가 싫다는 듯 고개를 돌리고 말았다.

"듣기 싫소, 어서 썩 물러가시오."

참으로 딱한 노릇이었다.

이 무렵 백제와 신라와 고구려는 서로 틈만 나면 쳐들어가고 쳐들어오는 적국 관계였고, 특히 백제와 고구려는 철천지 원수의 사이였으니 단 하루인들 편한 날이 없었다.

그러니 적국 군사의 시신을 장사지내 주어야 한다는 겸익스님의 말에 무녕왕이 노발대발한 것도 무리가 아니었다.

그러나 이 무렵 백제 땅에 퍼진 괴질은 사라질 줄을 모르고 날로 번져만 갔다.

그리고 이 소식은 곧바로 왕궁에 알려졌다.

한 신하가 급히 무녕왕에게 알렸다.

"대왕마마께 아뢰옵니다."

"그래, 무슨 일이더냐?"

"아뢰옵기 황송하오나, 무서운 괴질이 고목성에서도 일어났다 하옵고 온산성에서도 일어났다 하옵고 가불성에서도 번진다고 하옵니다."

무녕왕이 고개를 갸우뚱했다.

"고목성, 온산성, 가불성이라면은 지난 겨울에 싸움이 벌어졌던 바로 그곳들이 아니더냐?"

신하가 고개를 끄덕이며 대답했다.

"그러하옵니다, 대왕마마."

"허면은 바로 그 싸움터에는 적국 군사들의 시신이 버려져 있었으렷다?"

"예, 그러하옵니다, 대왕마마."

"허, 그렇다면은 흥륜사 겸익대사의 말이 사실이더란 말이냐?"

무녕왕의 물음에 신하가 고개를 조아리며 대답했다.

"아, 아뢰옵기 황송하오나 그 대사의 말씀이 사실인 줄로 아옵니다."

무녕왕의 얼굴이 어두워졌다.

깊은 생각에 잠겨있던 무녕왕이 마침내 결심을 한 듯 신하에게 명을 내렸다.

"음, 이거 그렇다면 예삿일이 아니로구나. 이것 보아라, 그 무서운 괴질이 더 이상 번지면 아니될 것인즉 오늘 당장 고목성, 온산성, 가불성에 사람을 보낼 것이로되, 흥륜사 겸익대사의 말대로 산야에 버려진 적국 군사들의 시신을 수습하여 장사를 지내게 하고 땅 속에 깊이 묻어주도록 하라. 내 말 알겠느냐?"

신하가 머리를 조아리며 대답하였다.

"예, 대왕마마 분부하신대로 거행하겠사옵니다."

신하가 나가려 하자, 무녕왕이 신하를 다시 불렀다.

"그리고 또 한 가지 당부하노니, 지금 곧 흥륜사에 사람을 보내어 겸익대사를 은밀히 감시하도록 하라."

"예."

"겸익대사를 감시함에 있어서 한 치의 빈 틈도 있어서는 아니 될 것이니 각별히 주의를 해서 감시해야 할 것이니라."

"예 대왕마마, 어명대로 거행하겠사옵니다."

2
자비가 으뜸이라

삼국사기의 기록에 의하면 백제 제25대 무녕왕은 키가 8척이요, 이목구비가 그림처럼 잘 생겼으며 인품이 인자하고 후덕하여 백성들이 다투어 순종하였다고 적혀있다.

헌데 인자한 성품에 후덕했던 무녕왕이 겸익스님의 진언을 한편으로는 시행을 하면서도 또 한편으로는 의심을 한 데에는 그만한 까닭이 있었다.

한편, 겸익스님이 있는 흥륜사에서는 어린 사미승과 겸익스님이 이야기를 나누고 있었다.

호기심 많은 어린 사미승이 참다못해서 겸익스님을 불렀다.

"스님, 스님?"

겸익스님이 사미승을 쳐다보았다.

"왜 그러느냐?"

"오늘밤에도 여전히 군졸들이 우리 절에 숨어서 지키고 있사옵니다요."

걱정스런 안색을 한 사미승과는 달리 겸익스님은 아무 일도 아니라는 듯이 태연하게 말했다.

"그래? 상관할 것 없느니라."

잠자코 겸익스님을 쳐다보던 사미승이 다시 겸익스님을 불렀다.

"하온데, 스님? 대체 무슨 까닭으로 우리 절을 지키는 것이옵니까요?"

"천에 하나 만에 하나 다시는 뼈아픈 실수를 아니하시겠다는 대왕의 뜻이시니라."

어린 사미승이 고개를 갸우뚱하며 물었다.

"뼈아픈 실수라니요, 스님?"

"대왕의 4대 선왕이신 개로왕때였느니라."

"예."

"그때에 우리 백제 군사가 고구려의 평양성까지 쳐들어가서 당시의 고구려 왕이었던 고국원왕이 전사하고 우리 백제에게 많은 땅을 빼앗겼었다."

"아이구, 그런 적이 다 있었습니까요, 스님?"

"그래, 그러자 그후 왕위에 오른 고구려의 장수왕이 부왕의 원수를 갚고자 계략을 세웠는데, 그때 고구려 승려 도림을 우리 백제 땅에 보냈던 게야."

겸익스님의 말을 듣던 사미승이 두 눈을 반짝이며 겸익스님 곁으로 바짝 다가 앉았다.

"아니, 스님, 고구려 승려를 무슨 일로 우리 백제에 보냈단 말씀이십니까요?"

겸익스님이 어린 사미승을 쳐다보며 자세히 설명했다.

"세속을 떠난 승려 신분이니 감히 의심하지 아니할 것이라 생각하고 승려를 보냈던 게지."

어린 사미승이 겸익스님을 재촉했다.

"그래서요, 스님?"

"고구려 승려 도림은 고구려에서 죄를 짓고 도망쳐왔다고 속이고는 당시 백제의 임금인 개로왕께서 바둑을 좋아하신다는 걸 미리 알고 바둑을 핑계삼아 개로왕을 가까이 모시게 되었거든."

어린 사미승이 방바닥을 치며 안타까워 했다.

"아이구 저런, 그래서요, 스님?"

"도림의 바둑 솜씨가 어찌나 신묘했던지 개로왕께서는 그만 도림의 바둑 솜씨에 홀딱 빠지셔가지고는 늘 가까이 두고 총

애하시게 되었다."

사미승이 말도 안된다는 듯 겸익스님에게 물었다.

"그 도림이라는 승려는 고구려 첩자인데두요?"

"개로왕께서는 그것을 전혀 모르셨던 게지. 아셨으면야 늘 곁에 두셨었겠느냐?"

"그래서요, 스님?"

겸익스님은 자꾸만 재촉하는 어린 사미승을 쳐다보고는 미소를 지으며 말을 이었다.

"개로왕의 총애를 받은 도림은 어느날 개로왕께 말하기를 '백제야말로 사방이 산과 강으로 둘러싸여 있으니 감히 어느 나라가 쳐들어올 수가 있겠느냐? 그러니 대왕께서는 아무런 걱정도 마시고 왕궁을 크게 짓고 누각도 지으시고 선조들의 능을 크게 만들어 위풍 당당한 대왕의 면모를 갖추시는 게 좋겠다' 이렇게 부추겼단다."

"원, 저런 나쁜 중이 있나? 그래서요, 스님?"

"개로왕께서는 그만 도림의 계략에 속아 백성들을 불러다가 궁전과 누각을 크게 새로 짓고 선조 대왕들의 능을 새로 크게 만들어 드리고 흙으로 성을 쌓고 그야말로 나라의 재물을 다 써버리셨다. 백성들도 운력에 기진맥진하게 되고……."

"원 저런! 그래서요, 스님?"

"나라 살림은 곤궁해지고 백성들도 굶주리고 지치게 되었지. 이렇게 되자 도림은 슬그머니 도망을 쳐서 고구려로 돌아가 이 사실을 고구려 장수왕에게 알려주었단다."

겸익스님의 얘기에 깊이 빠져든 사미승은 자신도 모르는 사이에 조금씩 겸익스님에게로 바짝 다가앉으며 두 눈을 반짝였다.

"아이구 저런! 그래서요, 스님?"

"고구려 장수왕이 크게 군사를 일으켜 일시에 백제의 도읍 한주를 치니, 이때에 우리 백제는 도읍을 빼앗기고 멀리 이곳 웅진으로 도읍을 옮기게 되었고, 원통하게도 그때 개로왕은 돌아가시게 되었던 게야."

사미승은 그제서야 알겠다는 듯이 고개를 끄덕였다.

"그러니까 그 고구려 중 도림이 때문에 그렇게 되었군요, 스님?"

겸익스님은 어린 사미승의 물음에 자세히 대답해 주었다.

"그런 셈이다. 그래서 그런 일이 있은 뒤 불교가 한동안 우리 백제에서 별로 대접을 받지 못했어. 출가 승려는 세속을 떠났고 정사를 떠났으니 오히려 믿지 못할 사람이다, 그런 생각이 왕실에 남아 있는 게야."

사미승이 수긍이 간다는 듯 고개를 끄덕였다.

"아, 예. 그래서 의심을 버리지 못한다 그런 말씀이시군요?"

겸익스님은 가늘게 한숨을 내쉬며 사미승의 얼굴을 쳐다보았다.

"못된 승려 하나 때문에 너무 큰 봉변을 당했으니, 이것도 다 인과응보이니라."

그런 일이 있은 뒤 열흘쯤 지났을 때의 일이었다.

그날도 군졸들이 여전히 흥륜사를 지키고 있었는데, 사미승이 다급하게 겸익스님을 찾았다.

"스님, 스님."

"무슨 일인데 그리 숨이 넘어가느냐?"

어린 사미승이 숨을 헐떡거리며 말했다.

"큰일 났습니다요, 스님. 이 일을 대체 어찌하면 좋습니까요?"

"아, 대체 무슨 일인데 그러느냐?"

"어명이 떨어졌다 하옵니다요."

"어명이라니?"

"스님을 왕궁으로 들게 하라는 어명이 떨어졌다 하옵니다요."

겸익스님이 너털웃음을 터뜨리며, 놀란 토끼눈을 하고있는 사미승을 쳐다보았다.

"허허, 녀석 참 별걸 다 놀라고 그러는구나."

"아이구 참 스님도, 잠시도 지체하지 말고 왕궁으로 들라는 어명이라는데 스님께선 그래 걱정도 아니되십니까?"

볼멘소리를 하며 걱정하는 사미승과는 달리 겸익스님은 태연하게 말했다.

"염려할 것 없느니라."

"아이고, 스님?"

겸익스님은 하늘을 쳐다보며 말했다.

"하늘을 보니 머지 아니해서 비가 오겠구나. 내 그럼 다녀오마."

"아이구, 스님."

사미승은 걱정스런 얼굴로 왕궁으로 가는 겸익스님의 뒷모습을 바라보았다.

겸익스님은 무녕왕이 무슨 까닭으로 자신을 왕궁으로 불러들이는지 그 이유를 이미 짐작했는지라 조금도 두려운 생각이 들지 않았다.

"흥륜사 중 겸익, 어명을 받자옵고 대령하였사옵니다."

무녕왕이 침울한 얼굴로 말했다.

"대사! 지금 이 웅진성 안에는 귀족들의 비웃음 소리가 나날이 번져가고 있소."

느닷없는 무녕왕의 말에 겸익스님이 무슨 뜻인지를 몰라서 눈을 커다랗게 떴다.

"귀족들의 비웃음 소리라니요?"

"대사는 나에게 가뭄과 괴질에서 벗어나려면, 나라의 곡식 창고를 활짝 열고 백성들에게 양식을 나누어 먹이라고 했지요?"

"예, 대왕마마. 소승 분명히 그렇게 말씀해 올렸습지요."

"그리고 또 대사는 나에게 백성들로 하여금 식수를 반드시 끓여서 먹도록 명을 내리라 그리하지 않았소?"

"그리 하였사옵니다."

"게다가 또 대사는 나에게 이르기를 적국 군사들의 시신까지 거두어 장사를 지내주는 것이 좋을 것이라 하였소."

"예, 대왕마마."

무녕왕은 겸익스님을 원망스런 눈빛으로 바라보며 말을 이었다.

"그래서 나는 대사가 하라는대로 나라의 곡식 창고를 열어 백성들에게 양식을 나누어 주었소. 그리고 맑은 물이 나오는 우물을 파게 했으며 식수는 반드시 끓여서 마시도록 명을 내리고, 심지어는 국법으로 금한 적국 군사들의 시신까지 거두어 장사까지 지내게 해주었소."

"참으로 성은이 망극하옵니다."

그때 무녕왕이 갑자기 목소리를 높여 역정을 내었다.

"어허, 이런 답답한지고! 성은이 망극한 것이 아니라 비웃음이 자자하단 말이오."

노기 띤 무녕왕의 목소리와는 달리 겸익스님이 온화한 목소리로 말했다.

"대왕마마, 결코 그럴 리가 없사옵니다."

"이것보시오, 대사! 홍륜사 승려가 시키는대로 무슨 일이든 다 했건마는 하늘은 여전히 메마른 채 가뭄이 계속되고 괴질 또한 수그러들지 아니하고 있으니 이는 홍륜사 승려가 왕을 농락했음이 아니고 무엇이겠느냐 그렇게들 비웃고 있단 말이오."

여전히 태연하게 겸익스님이 말했다.

"말씀드리기 황송하오나 대왕마마께서는 심려하실 일이 아닌 줄로 아옵니다."

너무나 느긋한 겸익스님의 말에 무녕왕이 기가 막히다는 표정으로 말했다.

"무, 무엇이라고? 심려할 일이 아니다?"

"그렇사옵니다, 대왕마마. 그동안 양식을 나누어주신 은덕으로 백성들이 주린 배를 채우고 기력을 되찾았으니, 죽을 사람들의 숫자가 그만큼이라도 줄어든 것이요, 식수를 끓여마신 덕에 괴질에 새로 걸린 백성이 줄었사옵고, 적국 군사들의 시신을 장사지냈으니, 더 이상 괴질은 창궐하지 아니 할 것이며……."

무녕왕은 겸익스님의 말이 채 끝나기도 전에 다시 물었다.

"아니, 그렇다면 대체 이 가뭄은 어느 세월에 그칠 것이란 말이오?"

"소승, 천기를 달통한 재주를 갖추지는 비록 못했사오나 서풍에 음습한 습기가 젖어오고 있사오니, 머지아니해서 반드시 흡족한 비가 내릴 것이옵니다."

머지않아 비가 내릴 것이라는 겸익스님의 말에 무녕왕의 목소리가 떨렸다.

"비, 비가 올 것이라고?"

"그렇사옵니다."

"아니 그러니까 틀림없이 비, 비가 올 것이라는 말이오?"

"그러하옵니다, 대왕마마."

"허면 대체 언제쯤 비가 올 것이라는 말이오?"

"결코 오늘 밤 내일 낮을 넘기지 아니할 것이오니 그리 아십시오."

"무엇이? 오늘 밤 내일 낮?"

무녕왕은 너무 뜻밖이라 겸익스님의 말을 믿으려 하지 않았다.

그런데 참으로 신통한 일이 일어났다.

정말로 한 방울씩 두 방울씩 비가 내리기 시작하는 것이었다.

신하가 무녕왕 앞으로 뛰어오며 소리높여 외치는 것이었다.

"대왕마마! 기뻐하시옵소서. 방금 전부터 하늘에서 빗방울이 떨어지고 있사옵니다."

신하의 말에 무녕왕의 눈이 커지며 정신없이 밖을 내다보았다.

"비, 비가? 정말로 비가 와? 이것 보시오, 대사! 대사 말대로 정말로 비가 온단 말이오. 비가 온단······ "

잠시후, 밖에서는 요란한 천둥소리와 함께 시원한 빗줄기가 쏟아지는 것이었다.

무녕왕은 기뻐서 어찌할 줄을 몰라 하였다.

겸익스님은 태연하게 무녕왕을 쳐다보며 말했다.

"그동안 대왕마마께서 여러 가지 자비를 두루 베푸셨으니, 오늘 이렇게 비가 오는 것은 바로 그 음덕인 줄로 아옵니다."

무녕왕이 말도 안된다는 듯 손을 내저었다.

"아니오, 대사. 오늘 이렇게 비가 내려서 이 나라 이 백성을 구해주심은 이 모두가 대사의 공덕인 줄로 아오."

"아니옵니다, 대왕마마. 부처님께서 이르시기를 세상 다스리시는 데는 자비가 으뜸이라 하셨으니, 오늘 이렇게 비가 내려주심은 모두가 대왕마마의 자비심 덕분인 줄로 아옵니다."

들뜬 목소리로 무녕왕이 겸익스님을 불렀다.

"이것 보시오, 대사."

"예. 하문하십시오."

"이제 저 무서운 괴질도 더 이상 번지지 않겠지요?"

무녕왕을 쳐다보며 겸익대사가 걱정말라는 듯 고개를 끄덕였다.

"심려마시옵소서. 사흘 밤 사흘 낮동안 비가 내리고 나면은 저 무서운 괴질도 씻은 듯이 사라질 것이옵니다."

"이것 보시오, 대사. 그 좋은 부처님 말씀을 대사 혼자만 아시지 말고 자주자주 나한테도 전해주시고, 저 소갈머리 없는 귀족들에게도 자세히 전해 주시오."

"성은이 망극하옵니다."

"아, 아니오. 부처님의 은혜가 참으로 망극하오."

3
마음의 눈으로 보아라

    이렇게 해서 백제 제25대 무녕왕은 불교를 더욱 숭상하게 되었고 신심 또한 깊어지게 되었다.

    그리하여 그후부터는 크고 작은 국사까지도 겸익스님을 불러서 의논하는 것이었다.

    뿐만 아니라 무녕왕은 스님들을 극진히 공경케하고 사찰에는 특별히 넉넉한 양곡과 물자를 대어 주도록 했으니, 그야말로 절 살림은 모자람이 없게 되었다.

    하루는 겸익스님이 사미승을 불렀다.

    "스님, 부르셨사옵니까요?"

    어린 사미승이 오자, 겸익스님이 방문을 열고 말했다.

    "그래, 내가 불렀다. 들어오너라."

"예."

사미승이 들어와서 방문을 닫자, 겸익스님이 말했다.

"거기 앉거라."

"예."

"듣자하니 왕궁에서 사람이 다녀간 모양이던데, 무슨 일로 왔더냐?"

"예. 쌀 다섯 가마하고 옷감 열 필을 보내주셨습니다."

"양식은 지난 번에 보내준 것만 해도 아직 남아있을 터인데 또 보내오셨더란 말이냐?"

사미승이 싱글벙글거리며 말했다.

"예, 스님. 요즘 우리 흥륜사는 아주 양식 풍년이 들었사옵니다요. 그래서 내일 아침부터는……"

사미승의 말이 채 끝나기도 전에 겸익스님이 물었다.

"그래 내일 아침부터는 어찌하겠다는 말이던가?"

"예. 그동안 허구헌날 아침마다 죽만 끓여먹었으니 이제는 밥을 지어먹자고들 그러하옵니다."

"탁!"

겸익스님이 갑자기 시자의 등을 내리쳤다.

"아이쿠!"

갑자기 등을 얻어맞은 사미승은 무슨 까닭인 줄도 모르고 그

저 두 눈만 꿈벅거렸다.

"네 이놈, 내가 무슨 까닭으로 너를 때린 줄 알고 있느냐?"

사미승이 기어들어가는 목소리로 대답했다.

"잘 모르겠습니다, 스님."

"탁!"

겸익스님이 다시 사미승의 등을 내리쳤다.

"아이쿠!"

어린 사미승을 똑바로 쳐다보며 겸익스님이 다시 물었다.

"그래도 모르겠느냐?"

"예, 아직 잘 모르겠사옵니다."

겸익스님이 찌렁찌렁한 목소리로 사미승에게 또 묻는 것이었다.

"너는 근자에 백성들 사는 마을에 내려가 본 일이 있었더냐, 없었더냐?"

사미승이 겁먹은 얼굴로 겸익스님을 쳐다보며 대답했다.

"있었사옵니다."

"언제 내려갔었느냐?"

"예. 어제 저녁 나절에도 다녀 왔사옵니다."

겸익스님이 다시 시자의 등을 내리치며 꾸짖었다.

"이런 멍청한 녀석! 너는 그래 마을에 내려갔었으면서도 대체 무엇을 보고 왔더란 말이더냐?"

　　사미승은 잠시 생각하는 듯 하더니 기어들어가는 목소리로
대답했다.

　　"별다른 걸 본 일은 없사옵니다."

　　겸익스님이 한심하다는 듯 사미승을 쳐다보았다.

　　"어허, 이런! 너 이 녀석 그래가지고서야 어느 세월에 대체
수행자 구실을 제대로 할 것이더란 말이냐? 세상에! 그래, 마
을에 내려가서 제대로 본 것이 없었어?"

　　"예."

　　"그럼 내가 물을 것이니 대답해 보거라."

　　"예, 스님."

　　"마을 백성들이 먹을 것은 제대로 먹고 살더냐?"

　　사미승이 고개를 설레설레 저었다.

　　"아, 아니옵니다. 지독한 흉년 끝이라 하루에 한 끼 먹기도
힘들다고 하였습니다."

　　"허면은 마을 백성들이 입을 것은 제대로 입고 살더냐?"

　　사미승이 다시 고개를 저으며 말했다.

　　"아니옵니다. 벌거벗은 아이들이 많았사옵고, 어른들도 헌 누
더기 뿐이었습니다."

　　"네 두 눈으로 분명히 보았으렷다?"

　　"예."

"헐벗고 굶주리는 백성들 모습을 두 눈으로 보았으면서도 감히 어찌 삭발 출가한 놈이 배불리 밥먹기를 바라는고?"

사미승이 방바닥을 쳐다보며 힘없이 말했다.

"잘못되었사옵니다요, 스님."

"출가 수행자는 얼굴에 붙어있는 두 눈으로만 세상을 보아서는 아니될 것이니, 마음으로 볼 줄 알아야 수행자라 할 것이야."

"예."

"눈은 어리석어서 볼 줄밖에 모르고 입은 어리석어서 먹고 말할 줄밖에 모르고, 코는 지혜가 없어서 좋은 냄새만을 따라가니, 안이비설신, 즉 눈, 귀, 코, 혀, 몸이 하자는대로만 끌려다니면 지옥을 삼천 번 가도 모자랄 것이야.

출가 수행자는 마음의 눈으로 세상을 보아야 할 것이니 마음의 눈은 곧 지혜의 눈이요, 자비의 눈이다."

겸익스님은 잠시 말을 멈추고는 고개를 푹 숙이고 있는 어린 사미승을 한 번 쳐다보고는 다시 말을 이었다.

"만일 네가 지혜의 눈으로 세상을 보았다면은 굶주리고 헐벗은 백성들을 보고 감히 어찌 남은 양식으로 밥을 지어 먹겠다는 생각을 할 수 있었겠느냐?"

사미승이 고개를 들고는 겸익스님을 쳐다보며 말했다.

"참으로 잘못되었사옵니다, 용서하여 주십시오."

"한 생각 잘못 일으키면 그것이 바로 지옥이요, 한 생각 바로 세우면 그것이 바로 극락이니라. 오늘부터 우리 흥륜사 대중들은 사흘동안 모두가 다 불식(不食)할 것이니라."

겸익스님은 크게 노해서 흥륜사 대중들에게 사흘동안 굶을 것을 하명했다.

이때에 제자들은 스님의 말씀에 크게 뉘우쳤다.

그 다음 날 아침 겸익스님이 대중을 모아놓고 말했다.

"여기 모인 대중들은 잘 들으라."

"예."

"부처님 경전에 이르시기를 중생이 배고프면 보살도 배고프고 중생이 헐벗으면 보살도 헐벗고, 중생이 병들면 보살도 아프다고 하셨느니라. 그대들은 마땅히 알라! 백성들이 헐벗고 굶주리는데 감히 어찌 출가 수행자가 호의호식하기를 바랄 것이냐?"

겸익스님은 모여있는 대중들을 둘러보다가 원주스님을 쳐다보며 말했다.

"원주부터 어서 지게를 지고 앞으로 나서거라."

"예."

"죽 끓일 양식만 남겨둘 것이요, 나머지 양식은 모두 다 짊어지고 내려가서 식솔 많은 집부터 골고루 나누어 주도록 하라."

대중들이 입을 모아 대답했다.

"예, 분부대로 하겠습니다요."

겸익스님은 제자에게는 물론이요, 자신에게는 더욱 엄격했다.

그날부터 겸익스님은 당장 곡기를 끊었다.

보다 못한 어린 사미승이 미음을 끓여서 겸익스님에게 가지고 갔다.

"스님, 저희들이 어리석어 한 생각 잘못 일으켰사오니 이번 한 번만 용서하여 주시고, 어서 이 미음이라도 드시도록 하십시오."

"아니될 소리! 출가 수행자가 한 생각 잘못 일으켜 죄업을 지었거든 마땅히 참회하여 그 죄업을 없애야 할 것이야."

"저희들은 단 한 사람도 빠짐없이 사흘동안 불식하며 참회할 것이오니, 스님께서는 노여움 푸시고 제발 이 미음을 드시옵소서."

사미승이 아무리 권해도 겸익스님은 미음 그릇은 쳐다보지도 않았다.

"아니될 소리, 자식이 잘못했으면 그 허물은 부모에게 있는 것이요, 제자가 잘못했으면 마땅히 그 허물은 스승에게 있는 법, 내 어찌 그 허물을 모른다고 하겠느냐?"

"아니옵니다, 스님. 오직 저희들이 어리석어 지은 잘못이오니 스님께서는 부디 노여움을 풀어 주십시오."

제자들이 이렇듯 간곡히 말해도 겸익스님은 버럭 화를 내며 큰 소리로 말하는 것이었다.

"너희들이 정녕 이렇게 스승의 명을 가벼이 여기고 받들지 아니하려든다면 내가 당장 이 홍륜사를 떠날 것이니 그리들 알라."

"아 아니옵니다, 스님. 분부대로 하겠사옵니다."

겸익스님은 말과 행동이 한 치 한 푼도 어긋남이 없었다.

한 번 분부를 내리면 그것이 바로 법이나 마찬가지였다.

언젠가는 어느 제자에게 엄히 꾸짖고 석 달동안 말을 하지 못하게 묵언의 벌을 내린 적이 있었다.

보다못한 어린 사미승이 나섰다.

"스님, 아무래도 석 달동안의 묵언은 과중한 벌이라 생각되오니 한 달의 묵언으로 줄여주셨으면 좋을 듯 하옵니다."

사미승의 말에 겸익스님은 앞에 놓여있는 물그릇을 가리키며 말했다.

"허면, 여기 이 그릇에 물이 담겨 있느니라."

"예."

"내가 이 그릇에 담긴 물을 여기 이렇게 엎질러버렸다."

겸익스님이 물그릇을 엎지르자, 어린 사미승이 놀라서 소리쳤다.

"어, 스님?"

"내가 방금 엎지른 물을 다시 이 그릇에 담을 수 있느냐?"

"스님……."

사미승은 얼른 대답하지 못하고 엎지러진 물과 겸익스님을 번갈아 쳐다보기만 하는 것이었다.

"어서 일러라. 너는 내가 엎지른 이 물을 다시 이 그릇에 담을 수 있느냐, 없느냐?"

겸익스님이 다시 묻자 사미승이 더듬거리며 대답했다.

"그, 그야 스님, 다시 담을 수는 없는 일이겠사옵니다마는……."

"말도 그와 같다. 그 아이는 석 달동안 묵언을 해야만 할 것이니라."

사미승은 아무런 말도 못하고 그저 겸익스님만 물끄러미 쳐다보는 것이었다.

이렇게 서릿발같은 겸익스님이었으니, 문하의 제자들 또한 누구하나 그 행이 흐트러질 수가 없었다.

4
아무도 모르게 보시하라

그 해 늦가을이었다.

하루는 원주스님이 새벽에 일어나보니 절간 앞마당에 웬 쌀가마니가 대여섯 가마나 쌓여있는 것이었다.

원주스님이 허겁지겁 앞마당으로 겸익스님을 모셔왔다.

"아, 이것 보십시오. 스님, 여기 이렇게 쌀가마가 쌓여 있사옵니다요."

마당에 쌓여있는 쌀가마니를 본 겸익스님이 원주스님에게 물었다.

"왕실에서 보내온 것도 아니란 말이지?"

"아, 예. 왕실에서 쌀을 보내실 적에는 늘 저한테 확인을 받아가곤 하는데 그런 일이 통 없었습니다요."

겸익스님은 잠시 생각하는 듯 두 눈을 감고 있더니, 이내 고개를 끄덕였다.

"그럼, 알 만한 일이니라."

"아실만한 일이라니요?"

"이 쌀은 마을 사람들이 공양미로 가져온 것이니, 그리 알고 고맙게 잘 받아두도록 하여라."

원주스님이 눈을 동그랗게 뜨고 겸익스님을 바라보았다.

"마을 사람들이 공양미로 가져온 것이라니요, 스님?"

"아, 지난 여름 흉년 때에 양식을 얻어 먹었으니 이제는 그 신세를 갚겠다는 마음으로 가져온 것이니라."

"허면, 스님?"

겸익스님이 환하게 웃으며 말했다.

"이젠 이 나라 백성들 사이에도 자비심이 일어나고 있으니, 이 아니 반가운 일이겠느냐? 나무관세음보살, 나무관세음보살."

원주스님이 고개를 갸우뚱했다.

"허면 저…… 어째서 일언반구 말 한 마디 없이 여기다 이렇게 쌀가마니만 갖다놓고 갔을까요, 스님?"

아무래도 이상하다는 듯이 원주스님이 자꾸만 고개를 갸우뚱거리자, 겸익스님이 원주스님을 쳐다보며 말했다.

"백성들의 마음이 그만큼 착하고 착한 까닭이니, 은혜를 베풀더라도 이렇게 해야 할 것이요, 은혜를 갚더라도 이렇게 해야 할 것이니라."

"부처님께서 그렇게 이르셨단 말씀이시옵니까요?"

겸익스님은 흡족한 듯 다시 한 번 마당의 쌀가마니를 내려다
보았다.

"경전에 이르시기를, 보시를 베풀 적에는 내가 남을 돕는다
는 생각 없이 보시를 해야할 것이요, 대가가 돌아오기를 바라
지 말고 보시를 해야할 것이요, 남이 알게 보시를 하지 말라
하셨는데, 오늘 내가 크게 한 가지 배우게 되었구나."

원주스님이 조심스럽게 겸익스님을 쳐다보며 물었다.

"하오면 스님, 이 쌀가마니를 어찌 하올까요?"

"공양미로 들어온 것이니 고맙게 생각해서 잘 간수해 두어
라. 명년 봄에는 또 긴히 써야 할 것이야."

명년 봄에 쓸 것이라는 겸익스님의 말에 원주스님이 다시 물
었다.

"명년 봄에 어디에다 쓰시게요, 스님?"

"아, 보릿고개가 닥치면 굶는 백성들이 어디 한 두 집 뿐이겠
느냐?"

그제서야 원주스님이 알겠다는 듯이 고개를 끄덕였다.

"아, 예. 그때 굶는 집에 나누어주자 그런 말씀이시지요?"

"그래! 명년 봄에는 양식을 나누어 주되, 쥐도 새도 모르게

나눠주어야 할 것이니, 원주는 이 공양미에 손대는 일이 없어야 할 것이야."

"예, 스님, 잘 간수하겠습니다요, 예."

그해 늦가을 추수가 끝나갈 무렵, 겸익스님은 걸망 하나를 짊어진 채 목탁을 두드리며 탁발을 나섰다.

뿐만 아니라 겸익스님은 제자들에게도 한 달에 세 번 이상 반드시 탁발을 하도록 분부를 내렸다.

어린 사미승이 조심스럽게 겸익스님을 쳐다보며 말문을 열었다.

"저, 스님께 감히 한 말씀 올리고자 하오니 허락하여 주십시오."

"그래, 무슨 말인지 어디 해 보아라."

"소승, 출가 승려의 신분은 귀족의 버금가는 존귀한 것으로 알고 있사옵니다."

겸익스님이 못마땅한듯 사미승을 쳐다보았다.

"승려의 신분이 귀족에 버금가는 존귀한 것이라고 했느냐?"

"그러하옵니다."

"그래서 무엇이 어떻다는 말이던고?"

사미승은 겸익스님을 쳐다보며 또박또박 말하는 것이었다.

"위로는 부처님과 대왕을 모시고 문무백관보다도 더 높은 예우를 받고 있는 저희 승려들이온데, 집집마다 마을마다 돌아다니면서 양식 동냥을 얻으러다니는 것은 격에 맞지 않는 일이라 여겨지옵니다."

"허면, 너는 탁발하는 것이 어찌하여 격에 맞지 않는다는 것인지 그 까닭을 한 번 말해 보아라."

어린 사미승이 자신있게 대답했다.

"예. 양식 동냥이라고 하는 것은 끼니 끓일 것이 없는 걸인이나 하는 것이온데 저희들 출가 승려들이야 번듯한 절에 양식 걱정 또한 전혀 없으니, 양식 동냥을 나가는 것은 도리에 맞지 않는 줄로 아옵니다."

겸익스님은 잠시, 또랑또랑한 목소리로 말하는 어린 사미승의 얼굴을 쳐다보다가 입을 열었다.

"허면, 너는 이제부터 내 말을 자세히 들으라."

"예."

"내가 스스로 탁발을 나가고, 너희들에게도 탁발을 나가라 하는 데에는 세 가지 까닭이 있느니라.

첫째는 이 나라에도 삭발 출가하여 도를 닦는 수행자가 있음을 세상에 널리 알리고 부처님의 정법을 전하는 데에 그 뜻이 있느니라.

 그리고, 둘째로는 출가 수행자가 양식 동냥을 함으로 해서 백성들 마음 가운데에, 나누어 주는 마음 종자를 심어주고 가꾸어 주자는 데에 그 뜻이 있음이니라.

 빼앗는 것을 버릇으로 삼는 사람은 갈수록 그 마음이 포악해지고 악독해지는 법, 허나 무엇이든지 나누어주고 베풀어주는 것을 버릇으로 삼는 사람은 갈수록 그 마음이 착해지고 부드러워지나니, 그래서 부처님께서 이르시기를 나누어주고 베푸는 것을 신행덕목 첫째로 삼으라 하셨느니라."

 어린 사미승은 겸익스님의 말씀을 한 마디도 놓치지 않으려는 듯 두 눈을 커다랗게 뜨고 겸익스님을 똑바로 쳐다보며 듣고 있었다.

 겸익스님은 그런 사미승을 마주 쳐다보며 말을 이었다.

 "또한 출가 승려가 탁발을 하게 되면 오만하고 건방진 생각을 버려야 할 것이니라.

 '나는 출가 수행자다. 나는 존귀한 승려다. 나는 많이 배운 사람이다.' 이러한 아만심을 버리라는 뜻이야.

 걸망을 짊어지고 양식을 구걸하는 신세에 어찌 감히 아만심을 내어서 남 앞에 뽐낼 수 있을 것인가? 이것 보아라."

 어린 시자가 기어들어가는 작은 목소리로 대답했다.

 "예."

"너는 탁발을 하면서도 '나는 귀족 출신이다. 나는 양식이 없어서 구걸나온 걸인이 아니다.' 그런 생각을 얼굴에 나타내고 다녔을 것이다. 내 말이 맞느냐?"

어린 시자가 놀란 눈을 하고 얼른 대답했다.

"예."

"그런 생각을 품고 다니면 탁발도 되지 않으려니와 수행도 되지 아니해서 얻는 것이 아무 것도 없을 것이야. 내 말 알아들었느냐?"

"예."

"오늘 다시 한 번 탁발을 나가 보아라. 공손한 마음, 겸손한 마음으로 탁발을 나가면 네 걸망에 곡식이 가득히 담길 것이야."

"예, 명심하겠습니다."

어느날 겸익스님은 탁발을 나갔다가 돌아오는 길에 웬 걸인 한 사람을 만나게 되었다.

겸익스님은 지나가는 걸인을 소리쳐서 불렀다.

"이것 보시오."

겸익스님이 부르자 걸인은 주위를 둘러본 후 아무도 없다는 것을 알자, 이상하다는 듯 겸익스님을 쳐다보았다.

"예? 나, 나 말입니까요?"

"아, 여기 댁 말고 또 누가 있기라도 합니까요? 나 잠깐 여기 앉아도 되겠소이까?"

"그러시구려."

걸인이 겸익스님이 앉도록 옆으로 자리를 조금 비켜주자, 겸익스님은 그 자리에 털썩 주저앉으며 물었다.

"그래, 댁은 대체 어느 마을에 살고 계시는지요?"

"나, 나요? 나야 뭐 보다시피 이렇게 떠돌아 다니면서 얻어먹고 사는, 거, 거렁뱅이지요, 뭐."

"아, 그래도 그전에는 어느 마을에서 사셨을 게 아니겠습니까?"

"예, 저, 전에야 그랬습지요. 저기 저, 저 강둑 아래 붙여먹던 땅이 있었으니까요."

"허면, 농사짓던 그 땅은 어찌 하시고 돌아다니신단 말이십니까?"

스님의 말씀에 걸인이 땅이 꺼져라 하고 한숨을 내쉬며 말했다.

"아휴! 3년 전 홍수 때에 강둑이 터져서 모래에 묻혀 버렸어요."

"원 저런! 그렇지만 어디 움막이라도 짓고 거처를 정해놓고

땅이라도 일구고 사셔야지, 아, 이렇게 떠돌아 다니면 고생이
많으실 터인데요."

걸인이 손을 내저으며 말했다.

"아이고, 모르는 소리 하지도 마시오. 거처를 정해놓고 살면
은 뭐 어디 뭐 마음놓고 살게 가만 놔둡니까요? 이건 뭐 걸핏
하면 싸움터에나 내몰리지요, 뭐. 아이구, 나, 난 말입니다요. 일
년에 세 번씩이나 싸움터에 내몰렸다가 화살을 두 번이나 맞
았습니다요."

겸익스님이 혀를 끌끌 찼다.

"원, 저런! 저런! 쯧쯧쯧."

"아이고, 싸움터에 내몰리는 것도 이거 뭐, 한두 번이래야지
원, 이거 걸핏하면 고구려군이 쳐들어왔다, 신라군이 쳐들어왔
다 그냥, 그래서 저, 요즘에는 나라 전체에 유랑 걸인이 수도
없이 많아졌습니다요. 거처를 정해놓고 살면은 싸움터에 끌려
가니까 말씀예요."

"아니, 그러면은 유랑 걸식하는 사람이 그렇게도 많단 말입
니까요?"

"내가 알기로는 수백 명이, 아니지 수천 명이 더 넘을 게요."

"수천 명이나요?"

겸익스님이 놀라서 되물었다.

5
아만심을 버리라

　때는 고구려와 백제, 신라 사이에 일 년에도 수십 차례씩 국경 분쟁이 일어나던 시절이라, 백성들은 그야말로 지쳐 있었고 정 붙이고 살만한 희망 또한 없었다.

　겸익스님은 우연히 만난 걸인의 말을 듣고 큰 충격을 받았다.

　그리하여 다음날 겸익스님은 곧바로 왕궁으로 들어갔다.

　"흥륜사 중, 대왕마마께 문안드리옵니다."

　무녕왕이 겸익스님을 반갑게 맞았다.

　"어서 오시오, 대사! 이리 가까이 오도록 하시오."

　"예."

　겸익대사를 보자마자 무녕왕이 궁금하다는 듯 물었다.

　"헌데, 듣자하니 요즈음에 대사께서 마을로 돌아다니시며 양식을 얻는다 하던데 그게 과연 사실이던가요?"

겸익스님이 고개를 끄덕였다.

"우리 불가에서는 그 일을 탁발이라고 부르옵니다."

"탁발이라고 부르건 무엇이라고 부르건 그건 알 바가 아니오마는, 어찌 지위 높으신 출가 수행자께서 양식 구걸을 하고 다니신단 말이시오? 그동안 우리 왕실에서 스님들 양식을 제대로 보내드리지 아니했단 말씀이던가요?"

겸익스님이 급히 고개를 저었다.

"아니옵니다, 대왕마마. 왕실에서는 양식을 넉넉히 보내주셨으니, 성은이 망극하였사오나……."

무녕왕은 도대체 이해할 수 없다는 표정으로 다시 물었다.

"아니, 그러면은 양식을 받으시고도 무엇이 모자라서 양식 구걸을 다니셨단 말이시오, 그래?"

"저희 출가 수행자들이 양식을 얻으러 다니는 것은 양식을 얻자는 데에 그 뜻이 있는 것이 아니오라 부처님의 정법을 널리 전하고 도를 닦는 수행 방법의 한 방편이옵니다."

"오호! 아니 이거 원, 무슨 말인지 도통 알아들을 수가 없구료."

무녕왕이 이해하지 못하자, 겸익스님이 자세히 설명했다.

"다시 말씀해 올리자면 우리 불가에서는 저 옛날 부처님 계

실 적부터 밥을 빌고 양식을 얻는 것을 수행으로 삼아 왔사옵
니다."

무녕왕은 별일을 다 보겠다는 듯한 표정이었다.

"구걸을 수행으로 삼았단 말이시오?"

"그렇사옵니다. 부처님께서 이르시기를 출가 수행자는 무소
유를 근본으로 삼으라 하셨으니, 옷도 한 벌만 가질 것이요, 밥
그릇도 하나만 가질 것이며, 결코 음식이나 재물을 쌓아두지
말라 하셨습니다."

"어허, 저런, 저런, 그럼 출가 수행자들은 걸인으로 살라고 분
부하셨단 말씀이시오?"

겸익스님이 고개를 끄덕였다.

"그런 셈이시지요. 출가 수행자가 탁발로 살아가면은 여러
가지 큰 이익이 있나니, 첫째는 수행자가 아만심을 버릴 수 있
을 것이요, 둘째는 세상 사람들에게 자비심과 보시하는 마음을
심어주게 될 것이요, 그리고 세째로는 부처님의 가르침을 널리
전하게 될 것이라 하셨사옵니다."

그제서야 무녕왕이 알겠다는 듯 겸익스님을 바라보았다.

"허, 허면 거기에도 그만한 깊은 뜻이 들어 있었소이다 그
려."

"그렇사옵니다."

"허면, 내 나라 안에 영을 내려야겠소이다."

"무슨 영을 내리신다 하시옵는지요?"

"만일 스님들이 탁발을 나가시거든 이는 거룩한 불가의 수행이니, 누구든 거절치 말고 곡식을 내어드리라고 말입니다."

그 말에 겸익스님은 말도 안된다는 듯 황급히 손을 내저었다.

"아니옵니다, 대왕마마. 말씀드리기는 죄송하오나 그런 영을 내리시오면 불가의 법도에 어긋나는 일이옵니다."

"그래요?"

잠시 뜸을 들이다가 겸익스님이 무녕왕을 쳐다보며 조심스럽게 입을 열었다.

"말씀드리기 황송하오나, 소승이 대왕마마께 한 가지 진언을 올리도록 허락을 하여 주시옵소서."

"무슨 말씀이신지 어서 하도록 하시오."

"성은이 망극하옵니다. 소승이 근자에 탁발을 다니면서 살핀 일이옵니다마는 요즘 나라 안에는 유랑 걸식하는 백성들의 수효가 나날이 늘어가고 있사옵니다."

무녕왕의 눈이 커졌다.

"무, 무엇이라고? 유랑 걸식하는 무리들이 나날이 늘어난다?"

"예. 잦은 싸움에 백성들은 지쳐 있사옵고 홍수로 유실된 농

토가 많은지라 유랑 걸식하는 백성들의 수효가 늘어나는 줄로
아옵니다."

"어허, 저런, 저, 아니 그것이 사실이란 말이시오?"

"예, 그러하옵니다. 그러니 우선 대왕마마께오서 은밀히 하명
하시어 유랑 걸식하는 백성의 수효를 살피시고, 그 후에 방책
을 마련하심이 좋을 줄로 아옵니다."

"알았소이다. 내 당장 하명토록 할 것이오."

겸익스님이 무녕왕께 진언을 올린 지 사흘이 지나고 닷새가
지나고 열흘이 지나갔지만 이렇다 할 좋은 기미가 보이지 않
는 것이었다.

겸익스님은 답답한 마음으로 다가오는 겨울을 걱정하고 있었
다.

유랑 걸식하는 그 많은 백성들이 추위와 배고픔을 어찌 감당
할 수 있을 것인지 그것이 걱정이었던 것이다.

그러던 어느날 아침이었다.

어린 사미승이 겸익스님을 불렀다.

"스님?"

"왜 그러느냐?"

"오늘 새벽에 새벽 불공을 드리러 오신 어느 보살이 그러시

는데요, 요즘 세상에는 이상한 소문이 퍼진다 하옵니다요."

겸익스님이 궁금해서 물었다.

"무슨 소문이 퍼진다고 그러더냐?"

"예. 유랑 걸식하는 무리들은 한 명도 남김없이 다 잡아다 가둘 것이라고 하니, 우리 승려들도 제발 탁발을 나오지 말라는 말이었습니다요."

"아니 원, 무슨 그런 일이 있겠느냐? 아니다, 오늘은 내가 왕궁엘 들어가봐야겠구나."

겸익스님은 다시 무녕왕 앞에 나갔다.

무녕왕이 반갑게 웃으면서 겸익스님을 맞았다.

"허허허, 그렇지 아니해도 대사님을 모실 참이었는데, 마침 잘 와주셨소이다. 자, 어서 이리 앉으십시오."

겸익스님이 무겁게 입을 떼었다.

"예."

"대사께서 말씀해 주신대로 은밀히 알아보라 했더니 과연 유랑 걸식하는 무리들이 수백을 넘는다고 하였소이다."

겸익스님이 낮은 목소리로 무녕왕에게 물었다.

"하온데 대왕마마, 그 많은 사람들을 모조리 다 잡아들인다는 소문이 퍼졌다 하오니 이는 어쩐 일이시온지요?"

"허, 저런! 그런 말이 벌써 대사님의 귀에까지 들어갔더란 말이오?"

"발 없는 말이 천 리를 간다 하였으니 소승의 귀에 들리지 아니할 리가 있겠사옵니까? 하온데 대왕마마, 참으로 저들을 잡아들이라 하셨사옵니까?"

"나라의 영을 피하기 위해서 거처를 정하지 아니하고 유랑 걸식하며 일도 하지 아니하고 백성들을 괴롭히는 무리들은 마땅히 국법으로 다스리는 게 도리가 아니겠소이까?"

이렇듯 무녕왕이 태연하게 대답하자, 겸익스님이 안타까운 목소리로 말했다.

"대왕마마, 소승 감히 한 말씀 올리고자 하오니 허락하여 주시옵소서."

"어서 말씀하시오, 대사."

"부처님께서 이르시기를 나라를 잘 다스리는 데는 자비가 으뜸이라 하셨사옵니다. 이는 곧 잡아 가두기보다는 풀어줄 것이고, 벌을 주기보다는 상을 내림이 좋다는 말씀이옵니다."

무녕왕이 답답하다는 듯 겸익스님에게 물었다.

"허면 대체 저들을 어찌하면 좋겠다는 말씀이시오?"

"소승, 오직 부처님의 가르침만을 믿고 의지하며 수행해온 승려의 신분이오라 감히 어찌 대왕마마의 정사에 아는 것이 있겠사옵니까마는, 소승의 생각으로는 저들 유리 걸식하는 불쌍한 백성들을 불러 모으시되 저들로 하여금 홍수로 무너진 제방을 다시 튼튼히 쌓게 하시고 후한 품삯을 주어 생계를 꾸리도록 하시고, 제방 안의 땅을 다시 농토로 일구어 그 땅을 저들에게 나누어 주시어 농사를 짓고 살게 하심이 좋을 줄로 아옵니다."

무녕왕이 잠시 겸익스님의 말을 막았다.

"가만, 가만! 그러니까 대사의 말은 저들을 잡아 가두는 대신에 제방 쌓는 일을 시키고 품삯을 줄 것이며 농토를 일구어 그 땅을 나누어 주라는 말이시오?"

"그렇사옵니다, 대왕마마. 옛말에 소도 언덕이 있어야 비빈다고 하였으니, 저들 순박한 백성들에게 내 땅에 내 농사를 지을 수 있다는 희망을 주셔야 저들이 정 붙이고 가정을 이루어 잘 살게 될 것이옵니다."

무녕왕이 천천히 고개를 끄덕였다.

"오, 듣고보니 과연 대사의 말씀이 가장 좋은 방책인 것 같소. 내 반드시 그리 하도록 하겠소이다."

겸익스님이 진언한 그대로 무녕왕이 자비로운 구제책을 내려 그동안 홍수로 무너진 제방을 곳곳에서 복구하고 유랑 걸식하던 백성들이 후한 품삯을 받고 농토까지 얻게 되었으니 세상 인심이 크게 달라지게 되었다.

바로 이때의 일이 삼국사기 백제본기 제4권에 자세히 기록되어 있다.

이렇듯 겸익스님이 진언하는 일마다 백성을 이익되게 하고 나라가 잘 되게 하니 무녕왕의 신임은 날이 갈수록 두터워졌고, 백성들 또한 깊이깊이 감복하여 불교를 더욱 믿고 숭상하게 되었다.

하루는 또 어린 사미승이 겸익스님을 불렀다.

"스님."

"무슨 일이더냐?"

"스님께서는 과연 천안통을 이루셨사옵니까?"

느닷없는 사미승의 질문에 겸익스님이 어린 사미승을 가만히 쳐다보았다.

"그건 또 무슨 소리더냐?"

"다들 그러십니다요. 스님께서는 천안통을 이루신 도인스님이시라 앞일을 훤히 내다보고 계신다구요."

"불도에 입문한 사람은 그런 소리를 입에 담지 않는 법이니

라. 나는 열여섯에 출가득도한 이후 오늘까지 오직 부처님의 가르침에만 의지하였을 뿐, 삿된 도에는 가본 일이 없느니라."

"하오시면 대체 스님께서는 어인 일로 그렇게 틀림없는 일만 말씀하시는지요?"

"부처님 말씀을 바로 배우고, 부처님 말씀대로 바로 보고, 바로 생각하고 바로 시행하면, 세상만사 어느것도 어긋나는 일이 없을 것이니라."

겸익스님의 말을 조용히 듣고있던 사미승이 두 눈을 반짝이며 물었다.

"하오면 소승도 부처님 말씀만 제대로 공부하게 되면 스님처럼 그렇게 될 수 있게 되옵니까?"

겸익스님이 얼굴에 인자한 미소를 지으며 어린 사미승에게 말했다.

"부처님께서 이르시기를 미물의 짐승까지도 부처가 될 수 있다 하셨으니 너라고 어찌 지혜를 얻지 못할 것이냐? 세상 사람 누구나, 세상 중생 무엇이나 생각 한 가지를 잘 가져야 할 것이니, 속가 부엌에서 밥짓는 아낙네나 농사 짓는 농부나 저자 거리에서 장사하는 사람이나 벼슬사는 사람이거나, 무슨 일을 당해서 생각 한 가지를 바로 세워야 할 것이니, 어떻게 하면은 내게 이익인가를 먼저 생각하지 말아야 할 것이요, 어찌 하면은 내가 편할까를 생각지 말아야 할 것이요, 어찌 하면은 더 빼앗을까 어찌 하면은 더 가질까를 생각하지 말아야 할 것이니, 하물며 출가 수행자야 다시 말을 해서 무엇하겠느냐? 너는 이것 한 가지를 명심해야 할 것이야."

"예, 명심하겠습니다 스님."

겸익스님의 가르침을 들은 어린 사미승은 마음 깊이 감동하여 얼굴까지 발갛게 물드는 것이었다.

6
천축국으로 보내 주시오

겸익스님의 법문을 듣고 그대로 시행하기만 하면 세상 인심이 달라지고, 마음이 편해지는지라 이제 무녕왕은 틈만 나면 겸익스님을 불러서 법문 듣기를 즐겨 하게 되었다.

그날도 겸익스님의 법문을 듣고 난 무녕왕이 물었다.

"그러니까, 대사님! 나라를 제대로 잘 다스리자면은 창이나 칼이나 활을 쓰는 대신에 자비를 베푸는 게 가장 으뜸이다 그런 말씀이시지요?"

"그렇사옵니다, 대왕마마. 옛부터 이르시기를 창이나 칼을 만들게 되면은 그 세상은 난세요, 창이나 칼을 녹여 땅을 가는 데 필요한 보습을 만들고 호미를 만들면 태평천하라 일렀사옵니다."

무녕왕이 겸익대사를 마주보며 말했다.

"물론 그야 그렇지요. 대사님 말씀 그대로 창이 소용 없는 세상, 칼이 소용 없는 세상, 활이 소용 없는 세상, 그런 세상이라면 참으로 얼마나 좋겠소이까?"

무녕왕이 흡족한 미소를 지으며 고개를 끄덕이다가 다시 겸익스님을 불렀다.

"허면, 말씀이오, 대사?"

"예, 말씀하십시오 대왕마마."

"한 나라의 임금 노릇을 제대로 잘 할 수 있는 비법이 있으시면 좀 전해 주시오. 부처님께서는 모든 지혜를 다 갖추고 계셨다고 했으니 비법이 있으실 게 아니겠소이까?"

"소승, 그동안 누차 말씀 올린 바와 같이 자비가 으뜸이라 하였사옵니다. 나라를 다스리시는 데나 신하를 대하시는 데나 한 무리를 거느리는 데나 한 식솔을 이끄는 데나 자비가 가장 으뜸인 줄로 아옵니다."

무녕왕이 너털웃음을 터뜨렸다.

"허허허, 대사께서는 말씀마다 자비, 자비 하시는데 불도를 아직 잘 모르는 사람이야 어디 그 자비가 과연 어떤 것인지 자세히 알 수가 있겠소이까? 좀 더 알아듣기 쉽게 전해 주시오."

"하오시면 소승, 부처님 말씀을 전해 올리겠사옵니다."

"어서 말씀하시오."

"부처님께서는 사람은 물론이요 짐승까지도 그 목숨을 아끼고 소중히 여기라 이르셨사옵니다."

"으음!"

무녕왕은 겸익스님의 말을 한 마디도 놓치지 않으려는 듯 숨을 죽여가며 듣고 있었다.

"사람이든 짐승이든 한 마리 벌레까지도 어떻게 하면 죽일까를 생각하지 말고 어떻게 하면은 살릴 수 있을까만을 생각하라 이르셨지요. 저 사람을, 저 짐승을, 저 벌레를 어떻게 하면 살려줄 수 있을까, 어떻게 하면 더 편히 살게 해줄 수 있을까 늘 이렇게 생각하는 것이 자비라고 하셨습니다."

"으음!"

겸익스님은 무녕왕을 한 번 쳐다본 후 다시 말을 이었다.

"또 부처님께서는 어떻게 하면 더 많은 재산을 내 것으로 만들 수 있을까 생각하지 말고, 어떻게 하면은 내가 가진 것을 남에게 나누어 줄 수 있을까 베풀어 줄 수 있을까를 생각하라 하셨습니다.

더 좀 많이 나누어 주고, 더 좀 많이 베풀어 주기 위해서 애쓰는 사람, 바로 그런 사람이 자비로운 사람이라고 이르셨지요."

"으음!"

"남을 미워하고 원망하는 대신에 용서해주고 위로해주고 감싸주려는 마음, 바로 그것이 자비라고 가르쳐 주셨습니다."

"으음!"

무녕왕에게 자세히 설명을 마친 겸익스님은 잠시 뜸을 들인 후 나지막한 목소리로 입을 열었다.

"기왕에 대왕마마께오서 소승을 불러 하문하셨으니 소승, 한 가지 소원이 있사옵니다."

"대사께서 소원이 있으시다니, 어서 말씀해 보시오."

무녕왕은 궁금하다는 표정으로 겸익스님을 쳐다보았다.

겸익스님은 간절한 심정으로 무녕왕을 쳐다보며 입을 열었다.

"소승은 이 나라, 우리 백제를 부처님 나라로 만드는 게 소원이옵니다."

"뭣이? 이 나라를 부처님 나라로 만드는 게 소원이라니, 그건 대체 무슨 말씀이시오?"

"모든 백성이 부처님의 정법을 믿고 배우고 의지하며, 이 나라 모든 백성이 부처님의 가르침대로 착하고 바르고 부지런히 사는 나라, 그런 부처님 나라를 만드는 게 소원이옵니다."

"그러면 이 나라가 부처님 나라가 되면은 고구려나 신라의 침략도 막을 수 있겠소이까?"

무녕왕이 눈빛을 반짝이며 묻자 겸익스님이 말했다.

"대왕마마께옵서는 과연 어떻게 생각하시겠사옵니까? 백성들이 정직하고 바르고 부지런하고 착하게 살면은 그 나라는 살기 좋은 나라이겠습니까, 살기 나쁜 나라이겠사옵니까?"

"그, 그야 살기 좋은 나라가 될 것이오."

"살기 좋은 나라의 백성은 마땅히 그 살기 좋은 나라를 튼튼히 지키려 들 것이옵니다. 백성들 가운데 술 마시고 싸우고 투전하며 춤추고 놀고 음탕하게 사는 사람이 많으면 그 나라는 썩고 병들어 백성들도 자포자기하여 그 병든 나라를 지키려 들지를 않을 것이옵니다."

"으흠, 그러면 대체 어찌 하면은 그렇게 이 나라를 부처님 나라로 만들어 부강한 나라가 될 수 있겠소이까?"

겸익스님은 대답을 하지않고 간절한 눈빛으로 무녕왕을 쳐다보며 간청하는 것이었다.

"대왕마마, 소승의 소원을 한 가지만 들어주시옵소서."

무녕왕이 궁금하다는 듯 말했다.

"무슨 소원이신지 어디 한번 말씀해 보시오."

겸익스님은 잠시 고개를 숙이고 말을 멈추었다가 간절한 마음으로 무녕왕을 바라보았다.

"대왕마마!"

무녕왕이 답답하다는 듯 재촉했다.

"어서 말씀하시오."

"소승, 죽기를 각오할 것이오니 소승을 천축국에 보내주시옵소서."

무녕왕이 눈을 크게 떴다.

"천축국이라니?"

"중국보다도 더 먼 옛 부처님의 나라, 천축국에 다녀오도록 허락하여 주시옵소서."

"뭣이? 옛 부처님의 나라 천축국?"

겸익스님이 천축국을 다녀오겠다고 나섰으니 무녕왕은 그저 놀랄 뿐이었다.

"이것 보시오, 대사."

"예."

"천축국이라고 하면은 중국보다도 더 멀고도 먼 서역국을 이름이 아니던가요?"

"그렇사옵니다. 부처님이 태어나셨고 부처님이 중생들을 제도하셨던 나라 천축국은 중국에서도 수만 리 떨어진 서역이옵니다."

"어허, 아니 그렇게 아득히 멀고 먼 서역 나라에 대사가 감히 어찌 갈 수 있다고 그런 말씀을 하시는 게요?"

"육로로 중국을 거쳐 걸어가자면 족히 이삼 년은 걸릴 것이오나, 천행으로 배편을 만나면은 늦어도 일 년, 바람을 잘 만나면 대여섯 달 안에 당도할 수 있다고 들었습니다."

　무녕왕이 눈을 크게 뜨고는 겸익스님을 바라보았다.

　"아니, 그러면 그 멀고 먼 서역 나라까지 오고 가는 선편이 있다는 말씀이시오?"

　"예. 중국 상인들이 상술에 밝은지라 수십 년 전부터 뱃길을 열어 서역 나라에서 중국을 거쳐 우리나라와 왜국을 내왕하며 비단과 도자기를 거래한다 하옵니다."

　"거 원 참, 그래도 그렇지. 나도 서역 나라에 관해서는 얘기를 들어서 알고 있소이다마는 그동안 중국에서 서역 나라에 들어간 자는 기백 기천이로되 살아서 돌아온 자는 별로 없다고 중국 사신들이 그러던데, 아니 대사가 거기를 다녀오겠다는 말이시오, 그래?"

　겸익스님이 고개를 숙이고 대답했다.

　"그렇사옵니다."

　"어허 참, 살아서 돌아온다는 기약조차 할 수 없는 저 험난하고 아득한 서역 나라에 대체 무슨 까닭으로 가겠다는 것이오?"

　"예, 소승 죽기를 각오하고 부처님의 나라 천축국에 들어가서 부처님의 바른 법을 제대로 구하여 돌아올까 하옵니다."

무녕왕이 답답하다는 듯 겸익스님을 바라보았다.

"오호, 부처님 법이야 이미 우리 나라, 우리 백성에게 들어와 숭상하고 있거늘 새삼스럽게 또 무슨 법을 구해온단 말이오?"

"하오면 소승이 그 까닭을 소상히 아뢰올까 하옵니다."

"그러시오, 어서 말씀해 보시오."

"예. 우리 백제에 부처님의 정법이 전래된 것은 거금 140여 년 전의 일이니, 제15대 침류왕 2년 9월의 일이었습니다."

"그, 그렇다고 들었소."

"당시 동진국의 승려 마라난타스님이 배를 타고 우리나라에 들어와 불상과 불경을 전하시니, 왕께서 크게 기뻐하시며 마라난타스님을 궁궐 안에 모시고 경배하시며 부처님 법을 받들으셨다 하옵니다."

"나도 그렇게 들었소."

겸익스님은 고개를 들어 무녕왕을 한 번 쳐다본 후 다시 말을 이었다.

"그리고 바로 그 다음 해 봄 2월에는 한산에 절을 지으시고, 열 명의 백제 젊은이들로 하여금 삭발 출가하여 승려가 되게 하셨다고 하옵니다."

무녕왕이 고개를 끄덕였다.

"그랬지요."

"그후 8년 후인 제17대 아신왕 원년 2월에는 아신왕께서 친히 왕명을 내리시고 만백성은 부처님 법을 받들어 믿고 복을 구하라고 하교하셨다 하옵니다."

"그래요. 나도 그렇게 들었소이다."

"그후, 우리 백제에서는 위로는 대왕마마 아래로는 백성에게 이르기까지 부처님 법을 널리 믿고 숭상하게 되었사오나, 대왕마마께서도 잘 알고 계시듯이 제21대 개로왕께서 고구려 첩자 승려 도림에게 속아 한산성을 빼앗기고 도읍을 이곳 웅진으로 옮긴 후, 부처님 법이 크게 흥왕하지 못했사옵니다."

부처님 법이 크게 흥왕하지 못했다는 겸익스님의 말에 무녕왕의 눈썹이 올라갔다.

"부처님 법이 크게 흥왕하지 못했다니 그건 또 어인 말이시오?"

"아뢰옵기 황송하오나, 부처님의 정법에는 경, 율, 론 세 가지가 있사옵고, 부처님의 가르침을 기록한 불경만 해도 그 수효가 실로 수수백 권에 달한다 하옵니다. 그러나 지금 우리 백제에 들어온 불경은 한 두 권에 불과하니, 이는 부처님의 가르침을 저 넓은 바다에 비한다면 지금 우리가 가지고 있는 불경은 겨우 한 사발에 불과하다 할 것이옵니다."

무녕왕이 눈을 크게 뜨고 물었다.

"아니, 허면은 부처님의 경전이 그렇게도 많으시더란 말이시오?"

"그렇사옵니다. 그래서 소승이 반드시 부처님의 나라 천축국에 들어가서 부처님의 정법을 고루 모셔다가 국운융창 국태민안의 기틀로 삼고자 하오니 부디 윤허하여 주시기를 바라옵니다."

무녕왕은 아무런 말이 없이 눈을 감았다.

그리고는 잠시 후 두 눈을 뜨고는 겸익스님을 가만히 바라보았다.

"알았소이다. 대사의 뜻이 정 그러하시다면은 낸들 어찌 막을 수가 있겠소이까? 뜻대로 하시오."

겸익스님이 감격하여 크게 절을 하며 떨리는 목소리로 말했다.

"성은이 망극하옵니다."

겸익스님은 이렇게 해서 무녕왕의 허락을 받고 기뻐하며 절로 돌아왔다.

그리고는 멀고 먼 천축국으로 떠날 생각에 마음이 부풀었다.

그러나 막상 천축국을 가자고 하니 말로만 전해들은 천축국을 어떻게 가야할지 막막하기 짝이 없었다.

요즘 세상에야 비행기를 타고 10여 시간 날아가면 인도 땅에 그날로 당도할 수 있지만, 지금으로부터 1400여 년 전의 일이니 지도도 없고 길도 모르고 참으로 막막할 뿐이었다.

겸익스님은 우선 시자인 어린 사미승을 불러서 이르는 것이었다.

"부르셨사옵니까, 스님?"

"그래, 너는 오늘부터 보리를 볶아서 가루로 만들되 서 말을 만들어야 할 것이다."

사미승이 눈을 동그랗게 떴다.

"예? 보릿가루를 서 말씩이나요?"

겸익스님이 사미승을 불러 느닷없이 보릿가루 서 말을 준비하라 분부를 하니, 나이 어린 사미승은 그만 두 눈을 휘둥그렇게 뜨고는 다시 물었다.

"아니, 스님? 보리를 볶아서 가루로 만들되 서 말을 만들라 하셨사옵니까요?"

겸익스님이 고개를 끄덕였다.

"그래, 적어도 서 말은 되어야 할 것이니라."

"하, 하오시면 스님?"

겸익스님이 웃으며 말했다.

"허허허, 이 녀석이 보릿가루를 만들라는데 어찌 이리 놀라서 이러는고?"

"보릿가루는 싸움터에 나갈 적에나 피난을 갈 적에 가지고 가는 양식이 아니옵니까요, 스님?"

"어허, 그 녀석 겁도 많구나. 아, 널더러 그 보릿자루 꿰차고 싸움터에 나가라고 할까봐 그리 걱정이더냐?"

사미승이 손을 내저으며 대답했다.

"아, 아니옵니다요. 또 어디서 무슨 난리라도 일어났는지 그것이 걱정이 되어서 그렇습지요."

겸익스님이 온화한 목소리로 말했다.

"걱정할 것 없다. 그 보릿가루는 내가 먹을 것이니, 그리 알고 잘 만들도록 하여라."

"예에? 아니, 스님께서 보릿가루를 서 말씩이나 잡수시겠다구요?"

"먼 길을 다녀올 것이니, 그때 먹을 양식으로 준비하란 말이다."

"아, 예."

"보리에 돌이 들어가지 아니하도록 잘 씻어야 할 것이요, 골고루 잘 볶아야 상하지 아니할 것이니라."

"예, 정성들여 잘 볶도록 하겠사옵니다."

사미승이 시원스레 대답을 하자, 겸익스님이 잠시후에 다시 일렀다.

"그리고, 나 저 당황성 포구에 다녀올 것이니라. 한 사흘 걸릴 것이니 그리 알고 있거라."

"소승이 모시고 따라가도록 하올까요, 스님?"

"아니다. 나 혼자 다녀올 것이니라."

7
집착하지 말라

겸익스님은 그날로 웅진을 떠나 서쪽 바닷가를 향해 발걸음을 재촉했다.

이 당시 겸익스님이 당도했던 백제의 서해안 포구가 지금의 장항이나 군산이었는지, 아니면 당진이나 서산의 어느 포구였는지 분명하지는 않지만 옛문헌을 살펴보면, 당황성, 당성, 당은 등의 포구 이름이 보이는 것으로 보아서 이 포구가 지금의 전라북도 군산에서 충청남도 서산 당진 사이에 있는 포구였던 것은 분명하다.

포구에 당도한 겸익스님은 객주집을 찾아 들어갔다.

그리고는 객주집 주인에게 중국에서 건너오는 배가 언제쯤이나 들어오는지를 알아보았다.

그러나 객주집 주인이 말하기를, 근자에는 중국 배가 돌어오지 않는다는 것이었다.

겸익스님이 객주집 주인에게 다시 물었다.

"아니, 그러니까 이 근자에는 중국 배가 통 들어오지 아니하더라 그런 말씀이십니까?"

"예. 그러니까 제가 중국 배를 본 지가 한 대여섯 달이 되나요? 아니지? 대여섯 달이 뭔가? 근 일 년은 되었을 겁니다요."

겸익스님은 실망스러움에 기운이 다 빠지는 듯 했다.

"아니, 그럼 그동안은 통 들어오질 아니했단 말이시오?"

"예."

"아니, 대체 어쩐 까닭으로 들어오지 아니한단 말입니까?"

"아, 그걸 전들 어떻게 알겠습니까요마는, 아 뭐 중국 배가 언제 날짜 정해놓고 들어왔었나요, 뭐? 어떨 때는 바람에 밀려서 들렸다 가기도 하고, 또 어떨 때는 뭐라도 싣고 가려고 들어오기도 하고 뭐 그랬으니까요."

잠시 말이 없던 겸익스님이 객주집 주인에게 다시 물었다.

"아, 허면 언제쯤 중국 배가 들어올른지 짐작도 못하겠다 그런 말씀인가요?"

"아이구, 그렇습지요. 기약도 없이 왔다 갔다 하는 상선들이니 어느 세월에 올른지 짐작이나 할 수가 있겠습니까요?"

겸익스님이 낭패스런 얼굴을 하자, 객주집 주인이 겸익스님을 자세히 쳐다보며 물었다.

"아이고 그런데 스님께서는 어인 일로다가 중국 배를 기다리십니까요?"

겸익스님이 객주집 주인의 물음에 얼버무리며 대답했다.

"예? 아, 예. 뭐 그저 좀 볼 일이 있어서요."

"아이구 행여라도 저 중국 비단을 사실려고 그러십니까요?"

겸익스님이 고개를 설레설레 저으며 말했다.

"아, 아니올시다. 난 그저 중국 배가 들어오면은 그 배를 좀 얻어 탈 수 있을지 그걸 좀 알아보려고 그러는 겁니다."

객주집 주인이 눈을 동그랗게 뜨고 물었다.

"아, 아니? 그 중국 배를 얻어 타고 스님께서 어디를 가시게요?"

"천축국에를 좀 가려고 그럽니다만……."

천축국에 간다는 겸익스님의 말에 객주집 주인이 눈을 크게 뜨며 말했다.

"예, 예에? 천축국에요? 아이구, 이 스님 이거 큰 일 날 스님이시네."

"아니, 왜요?"

"아이고, 나도 말로만 들었습니다마는 천축국은 여기서 수십만 리도 더 된다고 하던데요. 거기 저, 왔다 갔다 하던 뱃사람들은 제 명대로 살고 간 사람이 하나도 없다고 그럽디다요, 예?"

겸익스님이 의아해 하며 물었다.

"그건 또 무슨 말씀이십니까?"

"아, 뱃길이 어찌나 멀고 험한지 거기 한 번 갔다가 오려면은 목숨을 아주 내놓고 가야 한다던데요? 가다가 죽고 오다가 죽고 수도 없이 물에 빠져죽는다고 그럽디다요."

"저, 허면은 날짜는 대체 얼마나 걸린다고 그러던가요?"

"아휴, 그거야 뭐 운수따라 다르다고 그러던데, 뭐 바람을 잘 만나면 두 달 석 달, 재수에 옴이라도 붙어서 바람을 거꾸로 만나면 다섯 달 여섯 달이 더 걸리고요, 아 또 그랬다가 재수 나쁘게 태풍이라도 만나는 날이면 그 때에는 영락없이 물귀신 신세를 면치 못한다고 그러던데요."

"아, 예."

객주집 주인이 겸익스님을 걱정스럽게 쳐다보며 말했다.

"그러니까 스님께서도 중국 배를 얻어 탈 생각일랑 하지도 마시고 마음을 돌리시지요? 내 말 아시겠습니까요?"

서해안 포구에 당도해서 이렇듯 객주집 주인의 얘기를 듣고 보니 배를 얻어 타고 천축국에 간다는 것은 참으로 어려운 일인 듯 싶었다.

그러나 겸익스님은 천축국에 건너가서 부처님의 정법을 두루 갖춰오겠다 하는 서원을 버릴 수가 없었다.

겸익스님은 며칠간 객주집에 머물면서 중국 배가 들어오기를 기다려보기로 작정했다.

이틀이 지나고 사흘째 되던 날, 그날도 겸익스님은 포구에 나와 멀리 바다를 바라보고 있었다.

그때 객주집 주인이 다가와서 말을 거는 것이었다.

"아이고 스님, 여기 나와 계셨습니다, 그려."

"아, 예."

객주집 주인이 실없이 웃으며 말했다.

"헤헤헤, 아, 난 또 스님이 객주집 밥값도 치르지 않고 삼십 육계 줄행랑이라도 쳐버린 줄 알았는데……."

겸익스님도 웃으며 맞장구 쳤다.

"허허허, 원 저런! 객주집 주인이 기왕지사 그렇게 생각한 줄 알았더라면 참으로 내가 달아날 걸 그랬소이다, 그려."

마주 웃던 객주집 주인이 나지막이 겸익스님을 불렀다.

"아, 하온데 스님?"

겸익스님이 객주집 주인을 쳐다보았다.

"예, 말씀하시지요."

"아, 언제 들어올지 기약조차 할 수 없는 중국 배를 이렇게 기다리셔야 소용이 없는 일입니다요."

알고 있다는 듯이 겸익스님이 힘없이 말했다.

"그러게 말입니다. 그래도 나는 혹시나 했소이다마는……. 기왕지사 여기까지 내려왔으니 한 사나흘 더 기다려 보도록 하지요."

객주집 주인이 답답하다는 듯 가슴을 쳤다.

"아, 글쎄 사나흘만 기다려서 중국 배가 들어오기라도 할 것만 같으면야 기다리시라고 하겠소이다마는 사나흘이 서너 달이 될지 삼사 년이 될지 이게 참 알 수가 없는 일이 아니겠습니까요?"

"아, 그렇다고 여기까지 내려왔다가 중국 배를 구경도 못한 채로 올라가란 말이시오?"

안됐다는 듯 겸익스님을 물끄러미 쳐다보던 객주집 주인이 말했다.

"저기 저 그 대신 말씀입니다요 스님, 만약에 우리 포구에 중국 배가 들어오면은 뱃사람더러 반드시 스님을 찾아뵙도록 해드리면 될 것 아니겠습니까요?"

객주집 주인의 말에 겸익스님의 얼굴이 갑자기 밝아졌다.

"아니 그럼, 주인장이 중국 뱃사람을 데리고 우리 절로 와주시기라도 하겠다 그런 말씀이시오?"

"그야 뭐, 품삯만 주신다면야 뭐 그리 어려운 일도 아닙지요."

"품삯이야 드리고 말고요."

객주집 주인이 웃으면서 다시 말했다.

"그게 아닙니다요, 스님."

"아니, 그게 아니라니요?"

"저, 중국 배가 이 포구에 들어오면 중국 뱃사람은요, 스님께서 먼저 오라 가라 부탁을 하지 않아도 제발로 웅진성으로 찾아갈 것입니다요."

겸익스님이 무슨 말인지 모르겠다는 듯 고개를 갸우뚱했다.

"아니, 그건 또 무슨 일로요?"

"아이 참, 스님도? 아 중국 뱃사람이야 비단이며 도자기 그릇들을 팔아먹으려고 그러는데, 아 웅진성에 들어가야 왕실이며 귀족들한테다가 물건을 갖다가 팔아먹을 것이 아닙니까요?"

겸익스님이 고개를 끄덕였다.

"아, 듣고보니 그렇군요. 그러면은 중국 뱃사람들에게 단단히 부탁을 좀 해주시겠습니까? 웅진성에 들어오거든 흥륜사로 나를 좀 찾아 오라구 말씀입니다."

"그야 여, 여부가 있겠습니까요? 저, 하지만 말씀입니다요."

"예, 말씀하시지요."

"중국 뱃사람을 흥륜사로 가게 하는 것은 참, 소인이 책임을 지겠습니다마는, 중국 배를 얻어 타고 못타고는 소인이 알 바가 아닙니다요."

"아, 그거야 뭐 여부가 있겠소이까? 중국 뱃사람을 절에 보내주기만 하면은 그 다음 일은 내가 다 알아서 할 것이니, 어쨌든 그저 보내주기만 하십시오."

객주집 주인이 걱정말라는 듯 말했다.

"배, 배가 들어오기만 하면은야 스님 찾아가게 하는 것은 식은 죽 먹기보다 쉬운 일이니, 그 일일랑 염려마시고 어서 올라가십시오."

"그럼 내, 잘 좀 부탁드리겠소이다."

겸익스님은 포구에 있는 객주집 주인에게 이렇게 단단히 부탁을 해놓고 웅진성으로 돌아왔다.

그리고는 포구로부터 소식이 오기를 이제나 저제나 기다렸으나, 한 달이 지나고 두 달이 지나도록 아무런 기별이 없었다.

하루는 시중드는 사미승이 겸익스님을 불렀다.

"스님."

"그래, 무슨 일이더냐?"

"스님께서 분부하신 보릿가루 서 말을 다 만들었사옵니다요."

"오, 그래. 그동안 수고가 많았느니라."

"헌데, 그 보릿가루를 스님 방으로 가져올까요, 스님?"

"아니다. 내 방으로 가져올 것이 아니라 대여섯 개의 자루에 나누어 담아 잘 묶은 다음 빈 항아리 속에 넣어두도록 해야 할 것이다."

"항아리 속에다 넣어두라구요, 스님?"

"그래. 그래야 보릿가루에 습기가 차지 아니할 것이요, 습기가 차지 아니해야 벌레가 생기지도 아니하고 변하지도 않을 것이니라."

"예, 분부대로 하겠사옵니다."

"그리고 그 항아리에다 말이다."

"예."

"밑바닥에 숯을 깔고 자루를 넣은 뒤에 자루 위에도 숯을 넣어 두어야 할 것이야."

사미승이 잘 모르겠는지 머리를 갸우뚱했다.

"예. 하온데 항아리 속에 숯을 넣으라 하시는 데는 어쩐 까닭이 있으신지요?"

"숯은 원래 습한 기운을 빨아들이는 성질이 있으니, 그래서 숯을 넣어 습한 기운을 막고자 함이니라."

"예, 잘 알았사옵니다."

겸익스님은 배를 타고 가는 일이 여의치 아니하면 육로로 걸어서라도 천축국엘 가려고 비장한 결심을 하기에 이르렀으니, 이때의 겸익스님의 구도열이 얼마나 지극했는지 쉽게 짐작할 수 있겠다.

그러나 걸어서 천축국, 저 멀고 먼 인도 땅까지 간다 하는 것은 그야말로 상상조차 할 수 없는 위험천만한 일이 아닐 수 없었다.

중국 배가 들어왔다는 소식이 전해지기를 기다리다 못한 겸익스님은 급기야는 걸어서 천축국에 가기로 결심하고 제자들을 불러 모았다.

"내 그동안 그대들에게 보릿가루 서 말을 만들라고 한 것은 서역에 있는 천축국, 부처님 나라에 다녀오고자 함이었다. 당초에는 배를 얻어 타고 갈 요량이었으나 근자에 우리 포구에 중국 배가 들어오지 아니하는 지라, 내 이제는 육로를 통해서라도 천축국에 다녀오고자 하니, 그대들은 모두 그렇게 알라."

갑작스런 겸익스님의 말에 제자들이 걱정스러운 듯이 수군거리기 시작했다.

사미승이 눈을 크게 뜨고 겸익스님을 쳐다보며 큰 목소리로 말했다.

　"아니, 스님? 소승이 듣기로 서역에 있는 천축국은 수십 만 리, 아니 수백 만 리나 떨어져 있는 멀고 먼 나라라고 하던데, 스님께서 친히 그 천축국엘 다녀오시겠다는 말씀이시옵니까요?"

　"그렇느니라."

　다른 제자가 나섰다.

　"아니되시옵니다, 스님. 소승이 듣기로도 중국에서 천축에 들어간 사람은 수백에 달하지만, 살아서 돌아온 사람은 별로 없었다고 하였사온데 스님께서 어찌 그런 험난한 길을 가시겠다고 하시옵니까?"

　"천축가는 길이 제 아무리 험난하다 할지라도 그 나라에 가면 그나라에는 부처님의 정법이 무진장으로 쌓여있다 하거늘 출가 수행자가 어찌 길이 험난하다하여 아니 갈 수 있겠느냐?"

　어린 사미승이 눈을 크게 뜨고 손까지 내저으며 말했다.

　"아이고 스님, 아니되시옵니다요. 우리 웅진성에서 옛 도읍지 한산성까지 불과 천 리 길도 아니된다 하는데요, 그 한산성까지만 왔다 갔다 하는 데도 한 달이 더 걸리고요, 짚신만 해도 스물 켤레 가지고는 부족하다고 하는데요, 대체 스님께서는 무슨 수로 수십 만 리 수백 만 리 길을 가신다 하시옵니까요?"

"준비해가는 짚신이 다 닳아서 없어지면은 그땐 맨발로라도 걸으면 될 것이야."

"아니되시옵니다, 스님. 맨발로 백 리 길만 걷고 나시면은 그 땐 발바닥이 찢어지고 부르터서 더 이상은 한 걸음도 못가시 게 될 것이옵니다."

제자들이 아무리 만류를 해도, 겸익스님의 결심을 막을 수는 없었다.

"이것 보아라. 그대들이 무슨 말로 만류를 한들, 이미 한 번 정해진 내 뜻을 막지는 못할 것인즉, 모두들 내가 시키는대로 채비나 하도록 하거라."

사미승이 울상이 되어서 말했다.

"아이고 스님, 육로로 걸어가시려면 불가불 북쪽에 있는 고 구려 땅을 밟고 지나가셔야 할 것이 아니시옵니까요?"

겸익스님이 당연하다는 듯이 말했다.

"그야 북쪽이 고구려 땅이니 마땅히 그 땅을 밟고 가야 하지 않겠느냐?"

"아니고 스님, 아니되시옵니다요. 고구려와 백제는 철천지 원 수 사이이니, 고구려 군사들이 백제 사람을 붙잡으면 불문곡직 하고 죽인다는데, 스님께서 무슨 수로 고구려 땅을 밟고 가실 수 있으시겠사옵니까요?"

어린 사미승이 울상을 했으나, 겸익스님은 태평한 얼굴로 말하는 것이었다.

"나는 이미 출가득도한 수행자의 신분이거늘 설마한들 수행자를 죽이기야 하겠느냐?"

"아니되시옵니다요 스님, 가셔서는 절대로 아니되시옵니다."

"나는 이미 뜻을 정했으니 오는 시월 초하룻날에 길을 떠날 것이다. 그러니, 그대들은 그 안에 내 행장을 꾸려놓도록 할 것이며, 부지런히 짚신을 삼아 놓아야 할 것이다."

어린 사미승이 힘없이 말했다.

"하오나 스님, 이것은 도리가 아닌 줄로 아옵니다."

"도리가 아니라니? 대체 무엇이 도리가 아니더란 말이냐?"

겸익스님이, 말하는 뜻을 알 수 없다는 표정으로 어린 사미승을 쳐다보았다.

"스님께서 육로로 천축국에 가신다 함은, 이는 곧 다시는 뵙게 되지 못할 것이온즉, 스승을 사지(死地)로 보내드리기 위해서 그 제자들이 행장을 꾸리는 것은 차마 사람의 도리가 아닌 줄로 아옵니다."

겸익스님이 동요하는 제자들을 둘러보며 조용한 목소리로 말했다.

"그대들은 마땅히 알라. 부처님께서 일찍이 이르셨느니라. 이 세상에 생명이 있는 것은 반드시 죽어서 없어질 것이니, 살아 있는 것에 집착하지 말라 하셨다. 나는 이 자리에 가만히 앉아 있어도 죽어 없어질 것이요, 그대들 또한 나와 마찬가지일 것이니라. 출가 대장부가 어찌 죽고 사는 일에 얽매여 도모해야 할 일을 외면할 것인가! 다시 한 번 이르거니와 나는 시월 초하룻날 길을 떠날 것이야."

겸익스님의 뜻이 이렇듯 굳건했으므로 더 이상은 아무도 입을 여는 자가 없었다.

8
사라진 보릿가루

때는 무녕왕 21년 구월 그믐께, 이제 겸익스님이 저 멀고 먼 천축국을 향해 길을 떠날 날도 단 며칠밖에 남지 않았다.

제자들은 짚신 한 켤레라도 더 만들어 드리려고 부지런히 손을 놀리고 있었다.

그런데 느닷없이 원주스님이 사색이 되어서 겸익스님의 방을 찾았다.

"스님, 스님."

겸익스님이 방문을 열었다.

"그래, 무슨 일이던고?"

"크, 큰일 났사옵니다요, 스님."

"아니, 큰일이라니? 대체 무슨 일이던고?"

원주스님은 숨을 헐떡이며 말했다.

"스님 행장 꾸릴 물건들이 모두 다 없, 없어졌사옵니다."

겸익스님이 눈을 크게 뜨고 물었다.

"아니, 무엇이? 아니, 행장 꾸릴 물건이 없어지다니?"

"하, 항아리에 넣어둔 보릿가루도 없어졌고요, 그동안 짚신 삼아놓은 것도 없어졌구요, 또 새로 준비해 놓은 스님 옷도 모조리 다 없어졌습니다요."

"어허, 아니 대체 이게 무슨 소리던고? 시중드는 아이가 따로 챙겨둔 게 아닌지 그 아이한테 한 번 물어보거라."

원주스님이 고개를 저었다.

"아, 아니옵니다요. 그 아이도 전혀 모른다 하옵니다."

"어허, 세상에 이런! 아니 내일 모레에 길 떠나기로 했거늘 이것이 대체 무슨 낭패란 말인고?"

참으로 괴이한 일이 일어났으니, 겸익스님이 천축국을 향해 길을 떠날 때 양식으로 삼고자 미리 만들어 항아리 속에 잘 간수해 두었던 보릿가루가 송두리째 없어졌고, 그동안 제자들이 정성들여 삼아놓은 짚신 수십 켤레도 온 데 간 데 없이 사라졌고, 원주스님이 새로 지어놓은 겸익스님의 여벌 옷 또한 없어졌으니, 그야말로 귀신이 곡할 노릇이었다.

겸익스님이 큰 소리로 말했다.

"다른 항아리도 샅샅이 다 열어 보았느냐?"

"예, 아무리 찾아보아도 없사옵니다."

"허면은 공양간에도 없더란 말이냐?"

"예, 공양간도 살펴 보았사옵니다마는 거기에도 없었사옵니다."

"저, 아이들 방도 살펴 보았느냐?"

"아이들 방은 물론이요, 심지어는 법당 탁자 밑까지 다 살펴 보았사옵니다마는 아무리 찾아도 없사옵니다."

겸익스님이 어쩔 줄을 몰라했다.

"어허, 이것 참 낭패로구나."

"엊그제까지만 해도 분명히 그 항아리 안에 들어 있었사온데……."

원주스님이 말끝을 흐리며 겸익스님의 눈치를 살폈다.

"허면은 대체 그 사이에 우리 절간에 도둑이 들었단 말이더냐, 그래?"

"그 참, 글쎄올습니다요. 그동안 지독한 흉년이 들었을 적에도 절간에 도둑이 든 적은 없었사옵니다마는……."

"아니, 그러면은 그 보릿가루를 담아놓은 자루가 하늘로 날아갔다는 말이냐, 땅속으로 들어갔다는 말이냐, 그래?"

원주스님이 기어들어가는 목소리로 말했다.

"글쎄올습니다요."

"어허, 이것 참! 이거 별 해괴한 일을 다 당하는구나 이거?"

"죄송하옵니다요, 스님."

잠시 멍하니 있던 겸익스님이 원주스님을 불렀다.

"이것 보아라."

"예."

"이 일에는 필시 무슨 곡절이 있을 것이니라."

원주스님이 겸익스님을 쳐다보았다.

"무슨 말씀이시온지요?"

"지독한 흉년에도 우리 절에 도둑이 든 일이 없었거늘, 아, 추수가 한창일 적에 도둑이 든다는 것이 말이 되겠느냐?"

"그러게나 말씀입니다요."

겸익스님이 갑자기 곡간 생각이 났는지 원주스님에게 물었다.

"아, 혹시 곡간의 양식은 없어지지 아니했더냐?"

"예. 곡간의 양식은 그대로 있사옵니다."

"그것 보아라. 곡간의 양식도 그대로요, 다른 물건은 없어진 것이 없거늘 왜 하필이면 내가 떠날 때 소용되는 물건만 없어졌단 말이냐?"

원주스님이 고개를 끄덕였다.

"아이고, 그, 그러고보니 스님 말씀대로 과연 그렇습니다요,

스님?"

"오, 오늘이 며칠이던고?"

"아, 예, 그러니까 오늘이 구월 스무아흐레입니다요."

겸익스님은 아무 말없이 깊은 생각에 잠기는 듯 하더니 잠시 후, 원주스님을 쳐다보며 말했다.

"흠, 그래! 내가 천축국 갈 생각에만 마음이 급해가지고, 그 생각을 그만 깜박 잊었었구나."

원주스님이 궁금해서 물었다.

"무슨 말씀이시온지요, 스님?"

"부처님께서 이르시기를 제 아무리 좋은 씨앗도 바위에 떨어지면은 싹이 트지 아니한다 하셨으니, 이는 아무리 좋은 일이라도 좋은 연을 만나야 좋은 과보를 얻는다는 말씀이셨느니라."

"예, 스님."

"행장 꾸릴 물건들이 없어진 걸 알고서야 뒤늦게 내가 깨달았으니, 북풍한설 몰아칠 겨울이 닥쳤음을 내 미리 생각지 못했었구나."

"그, 그렇사옵니다요, 스님."

"천축국으로 떠나는 것을 명년 춘삼월로 미룰 것인즉 너희들은 이젠 내 걱정을 아니해도 될 것이니라."

천축국 부처님의 나라에 하루빨리 들어가서 부처님의 정법을 두루 배워올 생각에만 여념이 없었던 겸익스님은 그제서야 엄동설한이 눈 앞에 다가와 있음을 깨닫고 천축국 행을 명년 봄으로 미루게 되었다.

그러던 어느 날 밤이었다.

바람이 유난히도 몰아치던 날이었는데, 나이 어린 사미승이 밖에서 기어들어가는 목소리로 겸익스님을 불렀다.

"스님."

"그래, 무슨 일이더냐?"

"소승, 스님께 크나큰 죄를 지었사오니 벌을 크게 내려주십시오."

"그래 이리 들어 오너라."

"예."

"이리 가까이 오너라."

"예."

사미승이 무릎 걸음으로 가까이 다가가자 겸익스님이 사미승을 쳐다보며 물었다.

"네가 나한테 무슨 죄를 어떻게 지었다는 말이던고?"

사미승은 침을 한 번 꼴깍 삼키더니, 겸익스님을 쳐다보았다.

"벌을 내려주십시오, 스님. 사실은 소승이 스님의 행장 꾸릴 물건들을 감추어 두었사옵니다."

사미승이 겸익스님의 물건들을 감추었다는 데도 겸익스님은 조금도 놀라지 않고 나이 어린 사미승을 똑바로 쳐다보며 낮은 목소리로 말하는 것이었다.

"내 이미 알고 있었느니라."

사미승의 눈이 휘둥그레졌다.

"알고 계셨다구요, 스님?"

겸익스님은 천천히 고개를 끄덕이며 사미승에게 물었다.

"대체 어떤 까닭으로 그 물건들을 감추었었더냐?"

사미승이 겸익스님을 쳐다보다가 이내 고개를 떨구고는 조용히 입을 열었다.

"하루는 소승이 새벽에 일어나보니 찬서리가 하얗게 내려 있었사옵니다. 이제 머지 아니해서 눈보라가 치고 온 천지가 꽁꽁 얼어붙을 것이온데, 스님께서 기어이 먼 길을 떠나신다 하시니 만일 스님이 길을 떠나시면 꼭 스님이 돌아가실 것만 같았사옵니다. 그래서 스님을 떠나지 못하시게 하려면 행장 꾸릴 물건들을 감추어버리면 될 것 같기에 소승이 밤중에 산속에다 감추어 두었사옵니다. 그러니 소승에게 엄한 벌을 내려 주십시오."

눈물까지 글썽이며 목이 메어 말하는 사미승에게 겸익스님이 인자한 목소리로 말했다.

　"이것 보아라."

　"예."

　"감추었던 물건들은 이제 제 자리에 돌아와 있으렷다?"

　사미승이 고개를 끄덕였다.

　"예, 스님께서 천축행을 명년 봄으로 미루셨다 하기에 도로 제 자리에 갖다 놓았사옵니다."

　어린 사미승을 이윽히 바라보던 겸익스님이 온화한 목소리로 말했다.

　"나도 이 자리에 이대로 있고, 물건도 그 자리에 그대로 있으니 아무 일도 없었던 일이니라."

　사미승이 고개를 설레설레 저으며 말했다.

　"아니옵니다, 스님. 소승, 스승의 눈을 속인 죄, 거짓을 말한 죄, 막중하오니 엄한 벌을 내려주십시오."

　"공명심에 마음만 조급했던 내가 눈이 잠시 어두웠었느니라. 허물은 오히려 나한테 있었느니라."

　"아니옵니다, 스님. 아니옵니다."

　사마승의 눈에서 눈물이 주르르 흘렀다.

9

드디어 부처님의 나라로

다음해 봄, 그러니까 백제 제25대 무녕왕 22년 춘삼월이었다.

한겨울을 지내는 동안 자나깨나 천축국에 갈 생각만 해온 겸익스님에게 사미승이 헐레벌떡 뛰어오며 겸익스님을 소리쳐서 불렀다.

"스님, 스님"

"이런 녀석도, 아니 그래 무슨 일이기에 그리 숨이 넘어가느냐?"

"예, 스님. 왔습니다요."

"오다니? 누가 왔다는 말이더냐?"

사미승이 헉헉거리며 말했다

"스님께서 학수고대하시던 중국 뱃사람이 왔사옵니다요."

"뭣이? 중국 뱃사람이?"

"예, 스님. 저기 저 절문 앞에 서 있구먼요, 스님."

"아, 그럼 어서 가서 모시고 오너라. 참으로 내가 기다리던 사람이니라."

"예, 금방 가서 모시고 오겠습니다요."

그토록 애타게 기다리고 기다리던 중국 뱃사람이 찾아왔으니, 겸익스님은 뛸듯이 기뻐하는 것이었다.

사미승이 중국 뱃사람을 데리고 오자, 겸익스님이 반가히 맞으며 말했다.

"이거 참으로 잘 오셨소이다. 그래, 우리 포구에는 언제 들어오셨소이까?"

"아, 예에, 우리 배가 포구에 들어온 거는 다섯 밤이나 됐어."

"아하, 그러셨구먼요. 그래 저, 포구에 있는 객주집 주인이 이 절로 가보라고 그러던가요?"

중국 뱃사람이 고개를 끄덕였다.

"아, 스님이 중국 사람이나 만나고 싶어한다고 그리 말이 했어."

"아, 그래요? 예, 그래요. 내가 그렇게 단단히 부탁을 했었지요. 헌데 저 이번 배에는 무슨 물건들을 싣고 오셨소이까?"

"아, 무슨 물건을 싣고 왔느냐? 헤헤헤, 우리 사람이 중국 비단이 많이많이 가져왔고, 중국 사기 그릇 많이많이 가져왔다

해."

"어허, 그것 참 값지고 귀한 물건들을 가지고 오셨소이다 그려. 허면은 우리 백제에는 초행이시던가요?"

"아, 우리 사람이 두 번째로 왔어해. 일 년 전에 한 번 왔다 갔고 이번에 두 번째로 왔어해."

"아하 그러면 말씀이오. 그 저, 이번에 가지고 온 물건들을 왕궁 안의 귀족들에게 팔아야 할 것이 아니겠소?"

"오, 우리 사람이 팔려고 가지고 왔어해. 팔고 사고 이거 우리 장사야."

"예, 예. 그렇겠지요. 저, 허면 말이오, 당신이 가지고 온 물건을 우리 귀족들에게 선보이도록 해줄 것이니, 나하고 함께 들어가도록 하십시다."

"오, 우리 사람이 스님이가 물건 팔아주면 아주 좋아했어. 스님이나 팔아 줘."

"그건 아니될 말씀이오! 우리 출가 수행자는 물건을 사고 팔고 하는 장사는 법도에 어긋나는 일이라 할 수가 없어요. 저, 그대신 내가 선을 보이도록 안내를 할 것이니 물건파는 일은 당신이 알아서 할 일이오."

"그러시오, 그러시오, 좋아 좋아. 우리 사람이 장사하는 거 아주 잘해 잘해."

중국 뱃사람이 입을 다물지 못하고 좋아하자 겸익스님이 은 근히 말했다.

"그 대신 그, 한 가지 청이 있소이다."

"청이라니? 우리 사람이 청이 무슨 말인지는 몰라해."

"부탁이 있다는 말이오."

"아하하하, 부탁이?"

"허허허, 그렇소이다."

"무슨 부탁이? 무슨 부탁이?"

겸익스님은 중국 뱃사람을 쳐다보며 또박또박 말했다.

"나를 당신 배에 태워서 천축국에 좀 데려다 주시오."

겸익스님이 천축국에 데려다 달라고 하자 중국 뱃사람은 놀 라서 눈을 커다랗게 뜨는 것이었다.

"에? 천축국?"

"그렇소이다."

중국 뱃사람이 겸익스님에게 다시 물었다.

"아, 우리 배 타고 천축국에 가고 싶다 이런 말이야 이거?"

"그렇소!"

그러나 중국 뱃사람은 겸익스님이 미처 대답도 하기 전에 고 개부터 절래절래 흔들어대는 것이었다.

"오호, 스님은 우리 배 타고 못가."

"아니, 어째서 못간단 말이시오?"

"우리 뱃사람이는 가지마는 스님은 배 타면 죽어해. 세 밤도 못가서 죽어해."

"아니, 죽기는 어째서 죽는다는 말이시오?"

"땅에서만 살던 사람이 배 타면 죽어해. 그래서 안태워 줘. 우리 사람이 땅에서 사는 사람 안태운다 이거?"

겸익스님이 중국 뱃사람에게 사정했다.

"이거, 이것 보시오. 죽고 사는 것은 나에게 달린 일, 제발 저 당신 배에 좀 태워주시오."

그러나 중국 뱃사람은 고개를 절래절래 흔들며 막무가내였다.

"아, 안태운다. 안태워. 우리 사람이 땅에서 사는 사람 안태운다 이거?"

아무리 중국 뱃사람이 고개를 절래절래 흔들어도, 겸익스님은 물러설 수가 없는 일이었다.

이 배를 놓치고 나면 어느 세월에나 또 배를 만날지 모르는 일이기 때문이었다.

급기야는 겸익스님이 왕실의 역관까지 내세워 끈질긴 교섭을 벌인 끝에 가까스로 중국 뱃사람의 허락을 받았다.

그러나, 배에 태워주기는 태워주되 조건이 있다는 것이었다.

중국 뱃사람이 근엄한 목소리로 거들먹거리며 말했다.

"첫번째 조건은, 우리 뱃사람이 먹을 양식을 많이많이 실어 줄 것이고……."

겸익스님이 얼른 대답했다.

"그건 염려마시오. 당신들이 바라는 만큼 실어줄 것이오."

겸익스님을 쳐다보며 중국 뱃사람이 말을 계속했다.

"그 다음이 조건이는 스님이 배를 타고 가다 죽어도 우리 사람이는 모른다, 아, 그래도 좋아?"

겸익스님이 고개를 끄덕이며 대답했다.

"아, 그거야 죽고 사는 것은 나에게 달린 일, 어찌 당신들에게 원망을 하겠소이까?"

중국 뱃사람은 다시 한 번 겸익스님을 힐끗 쳐다보고는 말을 이었다.

"그 다음이 조건이가 또 한 가지 있어해."

"어떤 조건인지 어서 말해 보시오."

"스님이가 죽으면 우리 사람이가 스님의 시체를 바다에 버린다, 그래도 좋아해?"

겸익스님이 걱정말라는 듯 말했다.

"그야 물론 뭐 열 번 백 번 각오를 하겠소이다. 내가 가는 도중에 당신네 배 위에서 죽거든 마땅히 바다에 버려주시오."

그제서야 안심했다는 듯 중국 뱃사람이 웃으며 말했다.

"좋아, 정 그렇다면은 스님이 우리 배에 타. 아하하하."

이렇게 해서 겸익스님은 가까스로 중국 배를 얻어 타고 오매 불망 가고 싶었던 부처님 나라 천축국을 향해 장도에 오르게 되었다.

겸익스님은 배를 타러 포구로 떠나기 전에 무녕왕을 찾아 뵙고 하직인사를 올리게 되었다.

"이것 보시오, 대사! 대사께서 막상 중국 배를 타고 천축국으로 떠난다 하니 어쩐 일인지 심사가 영 편치를 않소이다 그려."

무녕왕이 섭섭해 하자, 겸익스님이 말했다.

"어인 말씀이시옵니까, 대왕마마! 소승 기필코 무사히 천축국에 당도하여 부처님의 정법을 두루 배워 갖춘 뒤 돌아와서 국운융창 국태민안의 기틀을 다질 것이오니, 너무 심려하지 마시옵소서."

"이것 보시오, 대사!"

"예."

"내가 왕 위에 오른 지 어느덧 22년, 그동안 대사의 도움을 많이도 얻었거늘 이제 대사를 수십만 리 타국 땅에 홀로 보내려 하니 심히 심사가 좋지 아니하오."

"말씀드리기 황송하오나, 대왕마마께서는 심려를 놓으시옵소서."

겸익스님이 아무리 안심을 시켜도 무녕왕의 걱정은 끝이 없었다.

"천축국으로 가는 길은 육로도 험하려니와 해로는 더더욱 험난하다 하였으니 대사가 겪을 고생이 어찌 한두 가지이리오?"

겸익스님이 고개를 숙였다.

"성은이 망극하옵니다."

겸익스님을 쳐다보던 무녕왕이 다시 말했다.

"대사께서 평소에 나에게 부처님의 말씀을 전해주실 때에 세상만사 세 치 앞을 내다볼 수 없는 것이라 했으니, 대사께서는 나에게 이르기를 생사는 호흡지간에 있다고 그리 하셨지요?"

"예, 부처님께서 그렇게 이르셨사옵니다."

무녕왕이 가늘게 숨을 내쉬며 말했다.

"내가 대사를 오늘 작별하면은 다시는 대사를 대면치 못할지도 모르는 일……."

겸익스님이 고개를 저으며 말했다.

"아니옵니다, 대왕마마. 소승은 반드시 돌아와 대왕마마를 받들 것이옵니다."

무녕왕이 겸익스님을 안타깝게 쳐다보았다.

그리고는 다시 길게 숨을 내쉬는 것이었다.

"허나 생사는 호흡지간에 있다 하였으니 내일 일은 모르는 법, 내 대사께 부탁이 한 가지 있소이다."

"예, 하명하시옵소서."

"대사께서 이 땅에 아니계시는 동안 내가 이 세상을 떠날지도 모르는 일이니 만일 대사께서 돌아와 내가 이 세상에 살아 있지 아니하거든……."

겸익스님이 얼른 무녕왕의 말을 막았다.

"아니되시옵니다 대왕마마, 더더욱 강령하실 것이옵니다."

"대사께서 돌아와 내가 죽고 없거든 그때는 내 자식 명농이 후사를 이을 것이니 잘 지켜 주시고 돌봐주도록 하시오."

겸익스님은 무녕왕의 말에 그저 아무 말도 못하고 고개만 숙일 뿐이었다.

"대왕마마."

잠시 후, 무녕왕은 웬 주머니를 겸익스님 앞에 내놓으며 말했다.

"이 주머니를 받아 품에 지니고 가도록 하시오. 이 주머니 속에는 금전이 들어있으니 필요할 때, 요긴하게 쓰도록 하시오."

겸익스님이 떨리는 목소리로 말했다.

"성은이 망극하옵니다."

겸익스님이 무녕왕에게 하직 인사를 올리고 나와 길을 재촉하여 포구에 당도하니 뱃사람들은 이미 출항 차비를 마치고 기다리고 있었다.

겸익스님은 어쩌면 다시는 돌아오지 못할지도 모른다는 비장한 생각에 이땅의 산천초목을 다시 한 번 되돌아 보았다.

옆에서 따라 걷던 어린 사미승이 그런 겸익스님을 보며 그만 목이 메었다.

"스님."

주위를 둘러보던 겸익스님의 눈길이 어린 사미승에게 가서 멈췄다.

그런 겸익스님의 눈에서도 말갛게 눈물이 고여 있는 듯 했다.

"그래, 너도 사형들 모시고 어서 그만 돌아가거라."

품 속에서 무엇인가를 꺼내든 사미승이 겸익스님을 올려다 보며 손을 내밀었다.

"이 불상을 스님께 올리오니, 늘 가슴에 지니도록 하십시오."

어린 사미승에게서 불상을 받아든 겸익스님이 건네받은 불상을 자세히 들여다보았다.

그리고는 깜짝 놀라며 어린 사미승을 쳐다보았다.

"아니, 이 불상은 나무로 깎은 불상이 아니냐?"

사미승이 고개를 끄덕였다.

"소승이 스님을 지켜주십사 하고 정성으로 깎아 모신 부처님이시옵니다."

"허, 그 녀석 참! 손재주가 보통이 아니었구나."

사미승의 목소리가 떨려왔다.

"스님께서 이 부처님을 늘 가슴에 모시고 계시면 반드시 이 부처님께서 스님을 지켜주실 것이오니 부디 잊지 마시옵소서."

"그래. 네 정성이 참으로 고맙고 갸륵하구나. 내 잠시도 이 부처님을 잊지 아니하고 정성으로 모실 것이니 너도 사형들 말씀 잘 순종하고 예불에 빠지지 말 것이며 공부도 게을리 해서는 아니될 것이다."

어린 사미승은 스님의 말씀에 참고 참던 울음을 터뜨리고 말았다.

"예, 스님. 명심하겠습니다."

어린 사미승의 어깨를 툭툭 두들겨주던 겸익스님이 눈을 들어 제자들을 둘러보며 말했다.

"자, 그럼 나는 그만 배에 오를 것이니 이제들 돌아가거라."

모여섰던 제자들이 일제히 합장하고 고개를 숙였다.

"예, 스님. 부디 건강하게 다녀 오십시오."

제자들을 하나하나 둘러보며 고개를 끄덕인 겸익스님이 고개를 돌리며 말했다.

"자, 그럼 내 다녀올 것이니라."

이윽고 겸익스님이 배에 오르자, 뱃사람들이 닻을 걷어 올리고 돛을 높이 치켜 올리니 배는 어느새 미끄러지듯 포구에서 멀어지기 시작했다.

"스님, 스니임-"

제자들이 입을 모아 겸익스님을 불러대자 겸익스님의 눈에도 눈물이 맺히기 시작했다.

"그래, 내가 금방 다녀올 것이니 그만 돌아들 가거라."

오매불망 그리던 부처님 나라 천축국을 향해 떠나는 겸익스님의 얼굴에는 뜨거운 눈물이 흐르고 있었다.

10
대신 올릴 수 없는 불공

겸익스님이 부처님의 정법을 구하기 위해 배를 타고 천축국을 향해 백제를 떠난 그 해, 그러니까 백제 무녕왕 22년은 나라 안에 이렇다 할 큰 일이 일어나지 않았다.

모처럼 국경에서의 충돌도 없었고 절기 또한 순풍순우였는지라 농사까지 풍년이 들었다.

무녕왕은 오랜만에 태평스러운 마음으로 신하들을 거느리고 그 해 구 월 고산능에서 사냥을 즐기게 되었다.

사냥을 하던 무녕왕이 말 위에서 신하에게 물었다.

"이거 보아라. 오늘 사냥에서 잡은 짐승이 몇 마리나 되는고?"

사냥감을 헤아려보던 신하가 대답했다.

"예. 노루가 다섯 마리에 멧돼지가 한 마리 그리고 여우가 세

마리인 줄로 아뢰옵니다."

흡족한 듯 무녕왕의 얼굴에는 미소가 어렸다.

"오! 노루 다섯에 멧돼지 하나에 여우가 셋이라고 그랬느냐?"

"예, 그렇사옵니다, 대왕마마!"

"음! 그러면 오늘 사냥은 그만 마치려니와 오늘 잡은 고기를 안주로 삼아 주연을 베풀도록 하라."

"예."

무녕왕이 신하에게 다시 분부를 내렸다.

"그리고, 여우가죽은 잘 벗겨서 털목도리를 만들도록 해야 할 것이니라."

"예, 분부대로 거행하겠사옵니다, 대왕마마."

"그럼, 그만들 돌아가자."

그런데 바로 그날 밤이었다.

무녕왕이 사냥으로 잡은 고기에 주연을 베풀고 한 잔 술에 취해 기분좋게 잠이 들었는데,

꿈 속에서 겸익스님을 만나게 되었다.

"대왕마마, 대왕마마."

"아니, 그대는 대체 누구더란 말인고?"

"자세히 보십시오, 대왕마마. 소승은 흥륜사 중, 겸익이옵니다."

꿈 속에서 겸익스님은 얼굴이 피범벅이 된 채 몰골이 말이 아니었다.

깜짝 놀란 무녕왕이 물었다.

"아니, 대사! 대사의 얼굴에 웬 피가 이리 범벅이 되었단 말이오?"

겸익스님은 원망스런 눈빛으로 무녕왕을 쳐다보는 것이었다.

"소승의 얼굴에 범벅이 된 이 피는 바로 대왕마마께서 사냥하여 잡은 짐승의 피인줄로 아뢰오."

"뭐, 뭣이? 내가 사냥하여 잡은 짐승의 피라고?"

"그렇사옵니다, 대왕마마! 사람이나 짐승이나 목숨은 똑같은 것, 살려달라고 발버둥치면서 달아나는 짐승에게 감히 어찌 활을 쏘고 창을 던질 수 있다는 말이시옵니까?"

"하, 하지만 대사?"

무녕왕이 아무런 말을 못하자 겸익스님이 말을 이었다.

"산 목숨을 빼앗은 사람은 그만큼 자기 목숨이 짧아질 것이요, 자식 또한 단명할 것이니 그 재앙은 아무도 막지 못할 것이옵니다."

"이, 이것 보시오, 대사, 대사!"

무녕왕은 겸익스님을 부르다가 잠에서 깨었다.

"아니, 이거 내가 악몽을 꾸었구나."

마음이 무거워진 무녕왕은, 다음날 아침 신하를 데리고 흥륜사를 찾아갔다.

그 때 마침 법당에서는 나이 어린 사미승 혼자 지극정성으로 예불을 올리고 있었다.

무녕왕이 사미승에게 물었다.

"그대는 대체 어떤 사미승인고?"

사미승이 예의를 다해 대답했다.

"예, 소승은 천축국에 가신 우리 겸익스님의 시봉을 들던 사미승이옵니다."

무녕왕이 사미승을 자세히 쳐다보며 물었다.

"어허, 그래? 허면은 대체 무슨 불공을 그리 지극정성으로 올리고 있었던고?"

사미승이 머리를 조아리고 말했다.

"예, 우리 스님의 무사 환국을 빌고 있었사옵니다."

"어허 거 참, 기특한 일이로고! 허면은 기왕에 대사님의 무사 환국을 빌어드리는 김에 내 몫까지 불공을 올려주시게."

어린 사미승이 쭈뼛거리며 대답했다.

"말씀 올리기 황송하오나, 그 일은 아니되옵는 줄로 아옵니다."

사미승이 무녕왕의 불공을 올려줄 수 없다고 딱 잘라 거절하자, 무녕왕이 놀라 물었다.

"아니된다니? 그건 또 무슨 말이던고?"

어린 사미승이 공손하게 두 손을 앞으로 모으고 대답했다.

"예, 소승이 대왕마마 대신 밥을 두 그릇 먹는다 해도 대왕마마의 배가 부르지는 아니할 것이오니 기도와 불공도 그와 같다고 배웠사옵니다."

옆에서 듣고 있던 신하가 소리쳤다.

"너 이놈! 감히 어느 안전이라고 주둥이를 함부로 놀리는고?"

그러자, 무녕왕이 손을 내저으며 신하를 말렸다.

그리고는 얼굴에 미소를 띠고는 사미승을 쳐다보았다.

"아, 아니다, 아니다! 그냥 내버려 두어라. 그래, 그대는 어쩐 연유로 사미승이 되었는고?"

사미승은 무녕왕을 쳐다보며 또박또박 대답했다.

"예, 7년 전 홍수 적에 부모님도 잃고 집도 잃고 길가에 버려져 있었사온데 우리 스님께서 저를 거두어 주셨사옵니다."

"흐음, 그래? 허면은 자기 불공은 자기가 드려야 한다 그렇게 가르쳐주신 분이 바로 네 스승이셨더냐?"

"예, 그렇사옵니다."

무녕왕이 사미승의 얼굴을 자세히 들여다보았다.

"어찌된 연유로 그렇게 가르치셨는지 그 까닭은 알고 있느냐?"

"예. 세상만사는 자업자득이요 자작자수이니, 이 세상 모든 길흉화복은 제가 지어서 제가 받는다고 하셨습니다."

무녕왕이 고개를 끄덕였다.

"으흠, 너는, 네 생각에는 어떠한고? 과연 스님께서는 무사 환국 하시겠느냐?"

사미승은 틀림없다는 듯이 몇 번씩이나 고개를 끄덕거리며 대답했다.

"우리 스님께서는 반드시 무사 환국하실 것이옵니다."

어린 사미승이 기특하다고 생각한 무녕왕이 고개를 끄덕이며 말했다.

"그래, 그래! 네 정성이 이만 하면은 무사 환국하시고도 남을 것이야. 자! 자, 그럼 나도 스님의 무사 환국을 빌어야겠으니 함께 불공을 드리도록 하자."

사미승이 엎드려 절하며 입을 열었다.

"성은이 망극하옵니다, 대왕마마!"

백제의 제25대 무녕왕은 참으로 불심이 깊었다.

겸익스님을 천축국에 보낸 뒤에도, 틈틈이 홍륜사에 들려 불공을 드리고 승려들이 생활에 불편함이 없도록 잘 보살펴 주었다.

그러던 무녕왕 22년 10월의 일이었다.

한 신하가 급히 무녕왕에게 알렸다.

"대왕마마께 아뢰옵니다."

"그래, 무슨 일이더냐?"

"아뢰옵기 황송하오나 간밤에 홍주 땅에 지진이 일어났다 하옵니다."

무녕왕이 놀라서 소리쳤다.

"뭐, 뭣이? 지진이 일어났다고?"

"예, 그러하옵니다."

"그래, 죽은 사람과 다친 사람은 얼마나 된다고 하던고?"

"천만다행하게도 죽거나 다친 사람은 아직 없사옵고 토담 몇 군데가 무너진 정도라 하옵니다."

무녕왕이 다행이라는 듯 안도의 숨을 쉬었다.

"그렇다면 그거 불행중 다행한 일이거니와 행여라도 죽은 자나 다친 자가 있는지를 자세히 알아보도록 할 것이며, 만일 죽은 자가 있거든 나라의 양식을 풀어 후한 장사를 지내줄 것이요, 다친 자 또한 양식을 주어 위문토록 해야 할 것이다."

"예, 성은이 망극하옵니다."

"겸익대사는 나에게 이렇게 간하곤 했었다.

'가뭄이 들거나 홍수가 일어나거나 괴질이 번지면은 백성들 간에 민심이 흉흉해지고 유언과 비어가 횡행하고 공포심이 세상을 휩쓸게 될 것이니, 만일 대왕마마께서 이런 때를 당하시거든 대왕마마께서는 반드시 나라의 곡식 창고를 열어 백성들을 주리지 아니하게 하셔야 할 것이요, 옷감도 후히 나누어 헐벗은 자가 없게 하셔야 할 것이오며 의원들을 징용해서라도 병든 자를 거저 고쳐주게 하셔야 할 것이옵니다. 자고로 백성들은 홍수나 가뭄같은 재앙을 만나면은 처음에는 하늘을 원망하고 나중에는 반드시 임금을 원망하게 되나니, 이렇게 되면 세상에는 유언과 비어가 난무하고 믿을 것 없는 백성들은 공포심에 싸이게 될 것이며 이리되면은 엉뚱한 생각을 품는 자가 나타나 세상은 난세를 면치 못하게 될 것이옵니다. 하오니, 나라가 어려운 지경을 당하고 백성이 헐벗고 굶주리며 공포심을 가지기 전에 대왕마마께서는 반드시 덕과 자비를 베푸시와 백성들의 마음을 편안하게 해주시면 어떠한 곤경도 능히 쉽게 극복할 수 있을 것이옵니다.'

허나 이런 때 겸익대사는 지금 천축국에 가고 없으니 참으로 허전하기 이를 데가 없구나."

무녕왕은 길게 한숨을 내쉰 후, 신하를 불렀다.

"이것 보아라."

"예."

"지진이 일어난 홍주 지역에 사람을 보내어 죽은 자, 다친 자, 무너진 집을 자세히 살펴보고 나라의 곡식을 풀어 흡족하게 위문케 하라."

"예, 성은이 망극하옵니다."

과학이 발달할대로 발달을 한 오늘날에도 지진이 일어났다 하면은 그 지역 주민들이 공포의 도가니 속에 휩싸이게 되거늘 지금으로부터 무려 1400여 년 전에 지진이 일어났으니 백성들의 동요와 공포심이 극에 달했음은 말할 것도 없었다.

그러나 무녕왕은 겸익스님이 평소에 당부한대로 덕과 자비를 베풀어 백성들의 마음을 편안케 했으니 이것은 다 부처님의 가르침 덕분이었다.

무녕왕은 지진으로 야기된 민심의 동요와 유언 비어를 이렇게 덕과 자비로 진정시켰다.

11
무녕왕의 죽음

무녕왕은 그 이듬해 봄에는 북쪽 국경을 튼튼히 하고자 지금의 한강 남쪽에서 경기도 광주에 이르는 지역에 쌍현성을 쌓았다.

그리고는 3월에 다시 웅진성으로 돌아왔다.

그러나 이때의 무녕왕은 한강변에 쌍현성을 쌓으면서 15세 이상의 백성들을 징용하여 극심한 노역을 시킨 것이 크게 마음에 걸렸다.

마음이 불편해진 무녕왕이 신하를 불렀다.

"이것 보아라."

"예."

"내 이번 일이 자꾸 마음에 걸리는구나."

신하가 무녕왕을 쳐다보았다.

"무슨 말씀이시옵니까, 대왕마마."

"북방 경계를 튼튼히 하고자 쌍현성을 쌓을 때에 15세 이상의 나이 어린 백성들까지 노역을 시켰으니, 이 일로 백성들 사이에 원성이 자자할 것이 아니겠느냐?"

신하가 무녕왕의 심기를 편하게 하려는 듯 말했다.

"아니옵니다 대왕마마, 국경을 튼튼히 방비하게 함은 백성을 편안히 살 수 있게 하려 함이니, 이는 곧 백성을 위해서 하신 일이온즉 조금도 괘념치 마시옵소서."

신하의 말에도 아랑곳하지 않고 무녕왕이 고개를 흔들며 말했다.

"아니다, 아니다. 아무리 백성을 위해서 하는 일이라고 한들 나이 어린 백성들까지 노역을 시킨 것은 두고두고 마음에 걸리는 일이니라. 백성들 사이에서도 원성이 자자할 것이다."

"아니옵니다, 대왕마마."

무녕왕이 어두운 얼굴로 말을 이었다.

"내가 이미 나이들어 한 가지만 생각하고 또 다른 한 가지는 생각하지 못했으니, 만일 겸익대사가 내 곁에 있었다면 대사는 반드시 15세 이상의 징용을 막고 18세 이상의 징용으로 바로 잡아주었을 것이다."

무녕왕은 겸익스님을 생각하는 듯 잠시 허공을 쳐다보다가 다시 신하를 불렀다.

"이것 보아라."

"예."

"내 흥륜사에 나가 대사의 무사 환국을 빌어야겠으니 차비를 하도록 하라."

신하가 걱정스런 표정으로 무녕왕에게 말했다.

"아뢰옵기 황송하오나 대왕마마께옵서는 큰 역사를 마치신 뒤요, 워낙 원로를 다녀오신 뒤끝이오니 아무쪼록 옥체를 편안히 보전하셔야 할 줄로 아옵니다."

무녕왕이 고개를 흔들며 말했다.

"내가 아무리 큰 역사를 했고 아무리 먼 길을 갔다 왔기로서니 겸익대사의 천축행에야 어찌 비할 것이냐? 지금 곧 흥륜사로 갈 것이니 그리 알라."

"예."

무녕왕은 시종을 데리고 흥륜사에 가서 승려들과 더불어 겸익스님의 무사 환국을 기원하는 불공을 올렸다.

무녕왕은 불공을 마친 뒤 겸익스님의 체취를 느끼려는 듯 겸익스님이 거처하던 방에 들러 잠시 쉬어가겠다고 했다.

겸익스님이 거처하던 방으로 간 무녕왕은 겸익스님이 있기라도 한 듯 방을 휘둘러 보았다.

그리고는 잠시후, 무녕왕이 따라들어온 사미승에게 물었다.

"그래, 대사께서 떠나신 후로는 포구에서 아무런 기별도 없었더란 말이지?"

"예."

무녕왕이 한숨을 내쉬었다.

"지금쯤 대사께서는 과연 어디에 계시는지 짐작조차 할 수가 없으니 참으로 답답한 일이로구나."

어린 사미승이 조심스럽게 말했다.

"스님께서는 장도에 오르신 지 어언 일 년이 넘었사옵니다만 그 후로는 통 중국 배도 들어온 일이 없다고 하옵니다."

무녕왕이 혼잣말처럼 조그만 목소리로 말했다.

"지금쯤 겸익스님은 중국 땅에 머물고 계시는지 아니면은 천행으로 천축국에 당도하셨는지……."

무녕왕의 안색을 살피던 사미승이 조심스럽게 입을 열었다.

"천축국에 당도만 하셨다면야 얼마나 좋겠사옵니까마는 소승 자꾸 마음에 걸리는 일이 한 가지 있사옵니다."

무녕왕이 눈을 크게 뜨고 물었다.

"마음에 걸리는 일이라니? 그게 대체 무슨 일이던고?"

그러자, 어린 사미승이 아까부터 만지작거리던 종이 뭉치를 무녕왕 앞에 펼쳐보이는 것이었다.

"대왕마마께서 친히 한 번 보시옵소서."

사미승으로부터 종이 뭉치를 받아든 무녕왕이 종이 뭉치와 사미승을 번갈아 쳐다보며 물었다.

"이게 대체 무엇이던고?"

무녕왕의 물음에 사미승이 입을 열었다.

"스님께서 떠나신 후에야 스님 탁자 위에서 이 글을 보았사 온데……"

무녕왕은 반갑기도 하고, 궁금하기도 하여 종이 뭉치를 뚫어 져라 쳐다보며 물었다.

"대사께서 남기신 글이란 말이던가?"

"그렇사옵니다."

"어디, 어디 한 번 보자."

무녕왕은 급히 종이 뭉치를 펼쳐 읽기 시작했다.

"흥륜사 대중들에게 당부하노라.

내 천축국 부처님 나라에 부처님의 정법을 구하러 떠남에 있 어 흥륜사 대중들에게 당부하노니 이는 나의 마지막 유언으로 알라!

여기서 천축국은 멀고도 아득한 길, 운이 좋으면 오육 개월 이요, 여의치 못하면 일 이 년이 걸려도 당도하지 못하는 곳이

다.

내 이런 험하고 아득한 길을 떠나매 어찌 살아서 돌아오기만을 바랄 것인가!

허나 무릇 생명 있는 것은 반드시 한 번 죽어 멸해 없어지는 법, 출가 수행자가 어찌 죽음을 두려워하여 정법을 구하지 아니 할 것이며 정법 배우기를 게을리 할 것인가!

홍륜사 대중들은 마땅히 알라!

내가 홍륜사를 떠난 지 5년이 지나도록 돌아오지 아니하고 기별이 없거든 그땐 이미 내가 이 세상을 떠난 것으로 알라.

그리고 본시 불가의 법도에는 출가득도를 먼저 한 승려가 스승이 되고 나중에 들어온 자가 제자가 되나니, 내가 없는 홍륜사에는 마땅히 다묵과 해인이 순서대로 스승이 되어 학인을 지도해야 할 것이니 대중들은 마땅히 이들을 섬겨 법도에 어긋남이 없어야 할 것이다.

또한 홍륜사 대중들은 마땅히 알라!

부처님의 가르침은 이 나라 만백성이 이고득락하고 국운융창, 국태민안 하는 자비의 광명이니 촌시도 게을리 하지 말고 열심히 배우고 닦아 위로는 대왕마마와 아래로는 만백성이 믿고 의지하고 실행하여 세세생생 부처님의 가호가 이 땅에 충만토록 해야 할 것이다.

나를 두 번 다시 만나지 못하게 되더라도 슬퍼하지 말라.

생명은 덧없는 것이니 부지런히 배우고, 부지런히 닦고, 부지런히 전하라.

이것이 나의 마지막 당부이니라!"

겸익스님이 남긴 마지막 당부를 읽고 난 무녕왕은 한동안 넋을 잃은 듯 말이 없었다.

기다리다 못한 사미승이 입을 열었다.

"아뢰옵기 황송하오나 대왕마마."

"그, 그래. 대사께선 이미 돌아오지 못할 것을 각오하고 떠나셨구나."

떨리는 목소리로 사미승이 말했다.

"그때, 소승이 죽기를 각오하고 스님을 붙잡지 못한 것이 한이 되옵니다."

"그래, 그래. 내 너의 심정을 어찌 모르겠느냐? 허나 대사께서는 보통 도인이 아니니 반드시 살아서 환국하실 것이다."

어린 사미승이 고개를 끄덕이며 무녕왕을 쳐다보았다.

"소승도 우리 스님의 무사 환국을 빌고 또 빌 뿐이옵니다."

그런데 그 해 5월, 그러니까 백제 25대 무녕왕 23년 5월이었다.

무녕왕은 어찌 된 일인지 그때부터 시름시름 앓아 눕기 시작하였다.

"이것 보아라. 나, 나 좀 일으켜다오."

"예."

"그래, 그래. 이젠 되, 되었다. 내 병이 아무래도 심상치가 않은 것 같구나."

"아니옵니다 대왕마마, 지난 봄에 쌍현성 축조시에 무리하신 탓이오니 한 열흘 편히 쉬시면 옥체 반드시 회복되실 것이옵니다."

잠시 숨을 고른 무녕왕이 힘없이 신하를 불렀다.

"이것 보아라."

"예, 대왕마마."

"내 이미 명농이 그 아이를 태자로 책봉해 놓았으니 만일 내가 세상을 떠나거든 그 아이를 잘 받들어 주어야 할 것이야."

신하가 말도 안된다는 듯 말했다.

"아니옵니다, 대왕마마! 대왕마마께서 더더욱 만수무강하셔야 하옵니다."

무녕왕이 힘없이 고개를 저으며 말했다. .

"나, 난 아무래도 이 달을 넘기지 못할 것이야. 어서 가서 태자를 데리고 와. 어, 어서!"

"예, 대왕마마. 분부대로 태자님을 모시고 오겠습니다."

무녕왕은 병세가 심상치 아니함을 스스로 알았는지, 태자 명농을 불러 후사를 부촉하기에 이르렀다.

신하가 태자를 불러오자, 무녕왕이 당부했다.

"태자 농은 잘 듣거라."

"예, 아바마마."

"내 너의 이름을 지을 적에 밝을 명자, 번농할 농자, 명농(明穠)이라 한 데에는 다 그만한 뜻이 있으니."

"예, 아바마마."

"밝을 명자는, 한 나라의 임금이 되려면 학문에 밝아야 하고 지혜가 밝아야 할 것이며 정사에 밝아야 하고 백성들의 사정에 밝아야 되나니 그래서 밝을 명자를 붙여준 것이요……."

"예, 아바마마."

"두번 째 글자, 번농할 농자는 벼 화 옆에 농사 농자를 덧붙인 것이니 나라가 부강하고 백성들이 두루 배불리 잘 살려면은 벼농사를 번성하게 잘 지어야 할 것이라 그래서 쓴 글자이니, 너는 그 뜻을 결코 잊어서는 아니될 것이다."

"예, 아바마마."

"너는 다행히 지혜가 밝고 식견이 뚜렷하며 결단성이 있는지라 내가 크게 걱정하지 아니해도 이 나라를 잘 다스릴 것이다마는 허나 젊은 나이에 왕 위에 오르게 되면은……."

태자가 무녕왕의 말을 막고 안타깝게 외쳤다.

"아니옵니다 아바마마, 소자 아직 왕 위에 오를 때가 아니온 줄 아오니 아바마마께서는 오래오래 이 나라를 이끌어 주십시오."

힘없이 말하던 무녕왕이 있는 힘을 다해 소리쳤다.

"그건 아니될 소리! 부처님도 그렇게 말씀을 하셨다고 들었다. 이 세상에 살고 있는 모든 생명 있는 것은 태어나면 반드시 한 번은 죽게 되어 있는 법, 생자필멸이요 회자정리라, 나고, 죽고, 만나고, 헤어지는 것은 결코 어느 누구도 막지 못하는 법, 내 이제 이 세상을 떠날 때가 되었으니 내 몇 가지 당부를 할 것이야."

태자가 고개를 저으며 다시 무녕왕의 말을 막았다.

"아니되시옵니다, 아바마마. 아니되옵니다."

태자의 만류에도 아랑곳하지 않고 무녕왕이 계속해서 말했다.

"태자는 잘 들으라!"

"예, 아바마마."

"젊은 나이에 왕 위에 오르면은 자칫 혈기방장하여 대사를 그르치기 쉬운 법, 어떤 멍청한 자는 젊어서 지식을 얻지도 아니하고 지혜를 닦지도 아니한 채, 머리는 남의 머리를 빌려쓰면 된다고 하는 일이 있으나 이는 참으로 어리석고 위험한 일, 남의 머리만 빌려쓰는 자가 감히 어찌 한 나라의 명운을 책임질 수 있을 것이며 백성들을 제대로 보살필 수 있을 것이냐?"

"예, 아바마마."

"학문 배우기를 게을리 말 것이며 지혜닦는 일에 소홀해서는 아니될 것이니 마땅히 이 두 가지 일에 힘을 써야 될 것이니라."

"예 아바마마, 명심할 것이옵니다."

숨이 찬 듯 잠시 말을 멈춘 무녕왕이 잠시 후 다시 입을 열었다.

"또, 나에게는 그동안 겸익대사라는 위대한 스승이 있어 어려운 일에 처할 적마다 길을 열어 주었거니와 만일 내가 세상 떠난 후에라도 겸익대사가 천축국에서 무사 환국하면은 너는 마땅히 겸익대사를 큰 스승으로 모시고 가르침을 받들어야 할 것이니라."

"예 아바마마, 소자 명심해서 받들어 모실 것이옵니다."

무녕왕은 이제 기진맥진한 듯 띄엄띄엄 말을 이었다.

"그리고 또 한 가지, 우리 백제 땅에 부처님의 전법이 널리 신봉되고 번창하여 세세생생 부처님의 가피가 이 나라의 백성을 지켜주시도록 해야 할 것이니, 태자는 이 점에 결코 소홀함이 없어야 할 것이야."

태자가 안타까운 듯 무녕왕을 쳐다보며 고개를 끄덕였다.

"예 아바마마, 명심하겠사옵니다."

무녕왕은 태자를 한 번 쳐다본 후 다시 말을 이었다.

"겸익대사는 늘 나에게 이렇게 이르셨느니라.

'백성들을 다스리시는 데에는 무엇보다도 자비가 으뜸이시니 대왕마마께서는 아무쪼록 자비심으로 대해 주옵소서. 굶주린 백성에게는 먹을 것을 베풀어 주시고 헐벗은 백성에게는 의복을 베풀어 주시고 병든 백성에게는 약을 베푸시와 이 나라 방방곡곡이 두루두루 자비심으로 가득하게 하오시면 나라가 반드시 태평할 것이옵니다.'

늘 이렇게 말씀하곤 하셨으니, 태자 또한 나라를 다스림에 있어 자비심을 그 근본으로 삼아야 할 것이다."

"예 아바마마, 소자 아바마마의 말씀 반드시 받들어 명심할 것이옵니다."

태자가 대답하자 마음이 놓이는지 잠시 미소를 짓던 무녕왕이 다시 태자를 불렀다.

"이것 보아라, 태자!"

"예, 아바마마."

"내 이제 여한이 아무것도 없거늘 천축국 부처님 나라에 가신 겸익대사, 그 분이 무사히 환국하는 것을 보지 못하고 가니 그것 한 가지가 마음에 걸리는구나."

"아, 아니되옵니다 아바마마, 오래오래 사셔서 반드시 겸익대사를 만나보게 되실 것이옵니다."

"급히 사람을 포구에 보내서 중국 배가 들어오거든 지체없이 알리도록 분부해 두어라."

"예 아바마마, 분부대로 하겠사옵니다."

태자는 무녕왕의 분부를 받들어 곧바로 포구마다 사람을 보내 지키고 있다가 중국 배가 들어오면 지체없이 알리도록 하였다.

그러나 기다리고 기다리는 중국 배는 끝내 들어오지를 않았다.

소식을 기다리던 무녕왕이 태자에게 물었다.

"오늘도 포구에서는 아무런 기별이 없느냐?"

"예, 아직 기별은 없사옵니다마는 조만간 좋은 소식이 올 것이옵니다."

무녕왕이 힘없이 말했다.

"으흠! 겸익대사, 그 분을 다시 못 뵙고 가다니, 그것이, 그것
이 마음에 걸리는구나."

"아바마마, 아바마마!"

백제 제25대 무녕왕은 이렇듯 왕 위에 오른 지 23년 만에 세
상을 떠났으니, 이 때가 서기로는 523년 5월이었다.

12
겸익스님의 환국

무녕왕의 대를 이어서 제26대 백제 왕위에 오른 분이 바로 성왕이었다.

이 성왕은 지혜가 밝고 식견이 뛰어났으며 매사에 빈틈이 없고 결단성이 있어서 새로운 활기를 불어넣었을 뿐만이 아니라 선왕의 유지를 받들어 불교를 숭상하여 웅진성 곳곳에 사찰을 세우고 승려들을 양성하는 등 불교 중흥에도 심혈을 기울였다.

그리고 제26대 성왕은 결단성 있는 젊은 왕답게 국경을 침범해 온 고구려 병사들을 보기좋게 쳐부숴 물리쳤는가 하면은 왕위에 오른 지 3년 째 되던 해 2월에는 신라와 사절단을 교환해서 우호정책을 펴기도 했다.

그러던 백제 제26대 성왕 4년 여름의 일이었다.

성왕은 선왕인 무녕왕을 생각하며 혼잣소리로 말했다.

"세월이 유수와 같다더니 정말 세월이 이리도 빠르구나! 아바마마가 승하하신 지 어느새 4년, 겸익대사가 천축국 부처님 나라에 가신 지는 어느덧 5년의 세월이 흘렀건만 대사께서는 생사조차 알 길이 없으니 아바마마 영전에는 과연 무엇이라 고해야 할 것인고?"

이렇게 성왕이 걱정하고 있는 바로 그 때에 신하의 전갈이 왔다.

"대왕마마께 아뢰옵니다."

"그래, 무슨 일이시오?"

"대왕마마, 기뻐하십시오. 반가운 기별이 당도했사옵니다."

"반가운 기별이라니? 대체 무슨 소식이 당도했더란 말이오?"

"예, 서쪽 바다 포구에서 기별이 왔사온데 선왕마마께서 그렇게도 학수고대하시던 겸익대사가 환국했다 하옵니다."

겸익대사가 환국했다는 신하의 말에 성왕의 눈빛이 빛났다.

"무엇이? 겸익대사께서 환국하셨다고?"

"그렇사옵니다, 대왕마마."

"오, 세상에! 이렇게 반가운 기별이 또 어디 있단 말이오? 그래, 지금 겸익대사께서는 어디쯤 오신다고 그러더란 말이오?"

"워낙 멀고 험한 뱃길에 시달렸는지라 객주집에 병들어 누워

계신다 하옵니다."

성왕이 안타까운 표정을 지었다.

"어허, 저런! 대사께서 병들어 누워계시다니…… 이것 보시오."

"예."

"지금 당장 의원을 화급히 포구에 보내어 대사님의 병구완을 하도록 하고 극진히 대접하라 이르시오."

"예, 분부대로 거행하겠사옵니다."

덧붙여서 성왕이 다시 명했다.

"그리고 또 한 가지 이를 것이니, 우구와 고치를 대사님 오시는 길에 파견하여 극진히 영접케 할 것이며 대사님께서 흥륜사에 안주케 할 것인즉 부족함이 없도록 살피도록 하시오."

"예 대왕마마, 분부대로 거행하겠사옵니다."

5년 동안이나 소식이 없었으니 영락없이 돌아가신 줄로만 알고 있던 겸익스님이 살아서 백제 땅에 돌아오셨다니 이건 정말 믿기 어려운 일이었다.

겸익스님이 살아서 돌아오셨다는 소식을 들은 흥륜사 대중들은 그야말로 뛸 듯이 기뻐하며 나는 듯이 포구로 달려갔다.

사미승이 구르듯이 뛰어가며 겸익스님을 불러댔다.

"스님, 스님, 스니임."

제자들을 본 겸익스님도 반가워서 어쩔 줄을 모르는 것이었다.

"그래, 그래, 오! 그대들이 왔는가? 다들 잘 있었지?"

사미승이 겸익스님에게 매달리듯 하며 입을 열었다.

"스님, 이것이 참으로 꿈이옵니까, 생시이옵니까요, 예? 스님?"

어린 사미승을 내려다보며 겸익스님이 빙그레 웃었다.

"허허허, 꿈은 무슨 꿈? 여기가 백제 땅, 아, 내가 떠났던 바로 그 포구가 아니더냐? 응? 허허허."

겸익스님의 얼굴을 뚫어져라 쳐다보고만 있던 제자들은 겸익스님이 호탕하게 웃으며 쳐다보자 그제서야 제 정신을 차리고 스님 앞에 무릎을 꿇어 인사를 올렸다.

겸익스님은 얼굴이며 팔뚝이며 온몸이 가무잡잡하게 그을려 있었으니, 옛날 흥륜사에 계시던 그 얼굴이 아니었다.

제자들의 인사가 끝나자, 겸익스님이 생각났다는 듯 말했다.

"어, 참! 그대들은 여기 계신 이 스님께도 인사를 올려야 할 것이야."

제자들이 정신을 차리고 가만히 살펴보니 겸익스님 곁에는 얼굴색이 새까만 낯선 사람이 앉아 있는 것이었다.

"이 분은 누구신데요, 스님?"

제자들의 질문에 겸익스님은 곁에 있는 낯선 사람을 가리키며 말했다.

"이 분은 천축국 부처님 나라 삼가나 대율사에 계시던 배달타스님이시니라. 내가 모시고 왔단다. 자, 어서들 인사를 드려라."

"예."

제자들은 배달타스님을 자세히 쳐다보며 모두 인사를 올렸다.

겸익스님은 천축국 부처님 나라에 갔다가 5년만에 돌아오면서 혼자 돌아온 것이 아니라 인도스님까지 한 분 모시고 왔으니 당시의 일로는 참으로 놀랄 만한 일이었다.

잠시후, 어린 사미승이 걱정스런 얼굴로 겸익스님을 쳐다보며 말했다.

"스님, 멀고 먼 뱃길에 병이 드셨다고 들었사온데 이제 그만 누우셔야지요."

겸익스님이 고개를 저으며 말했다.

"아니다, 병이 들기는…… 그보다도 어서 가서 대왕마마를 뵈어야 겠다."

대왕마마를 뵙겠다는 겸익스님의 말에 제자들의 얼굴이 순간

어두워졌다.

아무런 말없이 제자들이 서로 눈치만 살피고 있자, 사미승이 조심스럽게 겸익스님을 불렀다.

"스님?"

분위기가 심상치 않음을 이상하게 생각한 겸익스님이 무슨 일이냐는 표정으로 사미승을 쳐다보았다.

"아니, 왜 그러느냐?"

"스님께서 떠나실 적에 살아계셨던 대왕마마께서는 이미 이 세상에 아니계시옵니다요."

사미승의 말에 겸익스님의 눈이 크게 휘둥그레졌다.

"아니, 대왕마마께서 아니계시다니?"

사미승이 침울한 목소리로 말했다.

"저…… 4년 전에 이미 승하하셨사옵니다."

무녕왕이 4년 전에 이미 돌아가셨다는 사미승의 말을 들은 겸익스님은 놀라서 벌어진 입을 다물지 못하는 것이었다.

"4년 전에? 아니, 세상에…… 대왕마마께서 승하하시다니……?"

겸익스님이 더 이상 말을 잇지 못하자 사미승이 겸익스님의 얼굴을 살피며 조심스럽게 입을 열었다.

"대왕마마께서는 스님의 무사 환국을 학수고대하시다가 돌아가셨습니다요."

"어허, 그 지극하신 분을 돌아와서 뵙지를 못하다니…… 나무관세음보살, 나무관세음보살."

겸익스님은 무녕왕이 이미 4년 전에 돌아가셨다는 말을 듣자 두 눈을 지그시 감고는 두 손을 모아 합장한 채 관세음보살을 외웠다.

"생자필멸이며 회자정리라, 나고 죽고 만나고 헤어지는 일은 정해진 이치이건만, 대왕마마와 나 사이에 이리도 빨리 찾아오다니 참으로 안타깝구나."

겸익스님은 젖은 눈으로 사미승을 잠시 쳐다보다가 다시 말을 이었다.

"대왕마마께서는 나에게 천축국 부처님 나라의 유학길을 열어주셨거니와, 백성들을 대하실 때에 있어서 자비심이 많으셨으니 참으로 보살의 길을 닦으신 분이시다.

대왕마마께서는 반드시 이 나라의 왕으로 환생하시어 다시 자비로운 임금으로 우리에게 오실 것이다. 그래, 반드시 오실 것이야."

사미승이 고개를 끄덕이며 말했다.

"저도 그렇게 빌고 있사옵니다, 스님."

겸익스님이 자리에서 일어서며 사미승에게 말했다.

"그럼 네가 어서 앞장서거라."

사미승이 눈을 크게 뜨고는 겸익스님을 말렸다.

"아니되시옵니다요 스님, 하루나 이틀 더 쉬셨다가 기력을 회복하신 후에 가셔야 하옵니다요."

겸익스님이 힘없이 고개를 저었다.

"아니다. 살아계실 적에 돌아와 인사를 드리지 못했거늘 어찌 영전에 올리는 인사까지 늦출 수가 있겠느냐?"

사미승이 완강하게 고개를 저었다.

"글쎄 그러셔도 그렇지요, 스님. 단 하루만이라도 쉬셨다가 가시도록 하십시오."

사미승이 아무리 말려도 겸익스님의 생각에는 변함이 없었다.

"너는 알고 있을 것이 아니드냐? 대왕마마의 능묘는 어디쯤에다가 모셨는고?"

아무리 말려도 소용이 없다는 것을 안 사미승이 겸익스님을 걱정스레 쳐다보며 대답했다.

"예, 그야 알고 있습니다요."

겸익스님이 답답하다는 듯 급히 물었다.

"글세 그곳이 어디쯤이더냐?"

"저…… 송산리에다 모셨사옵니다요."

"송산리? 그 넓은 벌에다가 말이드냐?"

"예."

겸익스님이 급히 일어서며 말했다.

"그럼 어서 앞장 서거라. 더 이상 지체하는 것은 도리가 아니니라."

겸익스님은 선왕인 무녕왕이 베풀어준 은혜를 잊지 못하여 그 길로 곧장 무녕왕의 능묘를 참배하여 자신이 환국했음을 고해 올리려고 포구를 떠났다.

그러나 멀고 먼 뱃길에 지치고 지친 몸인지라 스님은 제대로 걸을 수조차 없는 지경이었다.

식은 땀을 흘리며 비틀거리며 걷는 겸익스님의 뒤에서 걱정스레 사미승이 소리쳤다.

"아이고 스님, 이러시다가 중도에 쓰러지시겠습니다요."

겸익스님이 헐떡이며 말했다.

"가다가 중도에 쓰러지는 한이 있더라도 사람의 도리는 해야 하는 법이니라."

사미승이 안타깝게 청했다.

"아이 참, 스님도 제발 좀 쉬었다가 가시도록 하십시오, 예?"

이렇게 한 걸음, 한 걸음 힘들게 걸어가고 있는 바로 그때였다.

왕명을 받들고 겸익스님을 영접하러 나온 벼슬아치들이 쏜살같이 달려내려오다가 도중에서 겸익스님의 일행을 만나게 된 것이다.

말에서 내린 신하가 겸손하게 말했다.

"겸익대사께서는 걸음을 멈추시고 어명을 받으십시오."

겸익스님이 힘없이 계속 걸으면서 말했다.

"나한테 무슨 어명이시란 말이시오."

신하가 겸익스님을 따라서 천천히 걸으며 말했다.

"겸익대사님을 급히 영접해서 모시라는 어명이 계셨소이다. 하오니 대사께서는 걸음을 멈추시고 대왕마마께서 보내주신 이 가마에 오르도록 하십시오."

겸익스님이 고개를 저으며 말했다.

"아니올시다, 소승 선왕께서 생존해 계시올 적에 환국하기로 약조했던 몸, 그 약조를 어기고 이제야 돌아왔으니 큰 죄를 지은 셈이온데 감히 어찌 대왕마마께서 내리신 가마를 탈 수가 있겠소이까?"

신하가 안된다는 듯 겸익스님의 앞을 막아서며 말했다.

"아니옵니다, 대사님. 이는 분명 어명이니 더 이상 사양치 마시고 자, 어서 오르십시오."

그때, 겸익스님과 신하의 대화를 가만히 듣고 있던 사미승이 나섰다.

"아이 스님, 타셔야 하옵니다요. 스님께서 만일 타시지 아니하시면 이는 두 분의 대왕마마께 도리가 아닌 줄로 아옵니다요."

신하가 사미승의 말이 맞다는 듯 고개를 끄덕였다.

"자! 어서, 어서 타십시오. 극진히 모시라는 분부가 계셨사옵니다."

겸익스님은 할 수 없다는 듯 고개를 끄덕이며 말했다.

"허면 내 선왕마마의 능부터 참배하고 환국 인사를 올리고자 하니 거기부터 데려다 주시오."

신하가 걱정 말라는 듯 말했다.

"그야 여부가 있겠사옵니까? 대사님 분부대로 모실 것이오니 아무 염려 마십시오."

겸익스님은 이렇게 해서 여법한 영접을 받아 송산리에 모셔진 무녕왕 능묘를 참배하게 되었다.

겸익스님은 천축국 부처님의 나라에서 가져온 향을 피워 꽂고 나서 무녕왕릉 앞에 예를 갖췄다.

"대왕마마! 소승 겸익 천축국 부처님의 나라에 다녀왔음을 삼가 고해 올리나이다.

대왕마마, 부처님께서 일찍이 이르시기를 '한 목숨 태어남은 한 조각 뜬구름 생겨남과 같고 한 목숨 스러짐은 한 조각 뜬구름 흩어짐과 같다'고 하였으니 제행무상이요 제법무아라, 대왕마마께서는 부디 이 진리를 깨달으시와 생사고뇌의 윤회에서 해탈하시옵소서.

나라를 다스리시되 덕으로 보살피시고 백성들을 다스리시되 자비로 임하셨으니 대왕마마의 덕과 자비는 세세생생 이 땅에 그대로 전해져서 만백성이 부처님의 정법을 믿고 의지하고 그대로 실행하며 대왕마마의 위덕을 칭송하고 찬탄할지니 대왕마마 부디 무상보리를 이루시옵소서.

소승, 백제 중 겸익은 대왕마마의 뜻을 받들어 천축국에서 배워온 부처님 정법을 널리 널리 펴서 이 나라 이 땅에 부처님의 가르침이 세세생생 전해지고 흠송토록 진력할 것을 대왕마마께 삼가 고해 올리옵니다."

은은한 향내가 무녕왕의 능묘를 휘감듯 퍼졌으니 겸익 스님도, 겸익 스님을 에워싼 신하들도 오랫동안 움직일 줄 몰랐다.

13
천축국에서 가져온 보물

백제 제25대 무녕왕의 대를 이어 왕위에 오른 제26대 성왕은 부왕으로부터 간곡한 위촉을 받은 바 있었으므로 겸익스님을 극진히 모셨을 뿐 아니라 신심 또한 부왕 못지않게 깊고 깊어서 백제 불교 진흥에 크게 이바지 하였다.

왕궁에서 겸익스님을 맞이한 성왕이 기뻐하며 겸익스님을 반겼다.

"대사님을 이렇게 다시 뵙게 되어서 무척 기쁩니다."

겸익스님이 고개를 숙이며 말했다.

"소승, 선왕마마의 성은도 갚을 길이 없사온데 대왕마마의 은혜까지 또 입게 되어서 참으로 몸둘 바를 모르겠사옵니다."

성왕이 고개를 저으며 말했다.

"아니옵니다, 아바마마께옵서는 승하하시면서도 대사님을 다시 뵙지 못하는 것을 가장 애석해 하셨습니다."

"참으로 성은이 망극하옵니다."

"아바마마께옵서는 또 이르시기를 만일 대사께서 무사환국하시거든 반드시 스승으로 모시고 받들라고 유촉까지 내리셨으니, 대사께서는 그리 아시고 아직 여러 가지로 모자라고 부족한 나를 많이 도와 주시기를 바라옵니다."

"소승 참으로 성은이 망극하옵니다."

"듣자하니 환국하시면서 천축국 승려 한 분을 모시고 왔다고 하던데 그 분은 어떤 스님이시온지요?"

"예, 소승이 당도했던 나라는 다섯 개의 천축국 가운데 중 천축국이었사옵니다."

성왕이 눈을 크게 뜨고 물었다.

"아니, 그러면 천축이 한 나라가 아니라 여러 나라였더란 말씀이시오?"

겸익스님이 고개를 끄덕였다.

"그렇사옵니다. 남 천축국, 동 천축국, 서 천축국, 북 천축국이 있사옵고 그 한가운데에 자리잡은 나라가 바로 중 천축국이었습지요."

성왕이 고개를 끄덕였다.

"허, 그래요? 허면 이번에 함께 오신 그 천축 스님은 대체 어떤 분이시오?"

"예. 중 천축국 삼가나에 있는 대율사 스님이신데, 이름은 배달타라 하옵고 경, 율, 론 삼장에 통달한 훌륭한 스님이시옵니다."

성왕이 겸익스님을 쳐다보며 물었다.

"이름이 배달타라고 그러셨습니까?"

"예, 우리 백제 이름으로는 소리를 그대로 옮겨 배달다라 부를까 하옵니다."

"허면 그 배달다 천축국 스님을 우리 백제 땅에서 사시게 할 작정으로 모시고 오셨는지요?"

"아뢰옵기 황송하오나 부처님의 가르침을 기록한 경, 율, 론은 실로 수수백 권에 이르고 있사온데……."

성왕이 겸익스님의 말을 막으며 물었다.

"가만, 가만이요. 부처님의 가르침을 기록한 경율론이라니요? 나는 도무지 불도에 대해서 아는 것이 부족해서요."

성왕이 이렇게 되묻자 겸익스님은 하나하나 자세하게 설명하기 시작했다.

"아, 예. 부처님의 가르침을 기록한 책 가운데 경은 부처님의 말씀을 기록한 것이요, 율은 부처님이 정하신 계율을 기록한 것이요, 론은 부처님의 수많은 제자들이 부처님 가르침의 바른 뜻을 해석하고 논술한 기록이옵니다."

"아, 그래요? 그러니까 그 배달다 천축 나라 스님이 그 세 가지에 두루 통달한 스님이다 그런 말씀이십니까?"

겸익스님이 고개를 끄덕였다.

"그렇사옵니다. 그래서 저 배달다 스님과 함께 부처님의 가르침을 한문으로 옮겨서 우리 백제의 모든 승려들이 읽고 배우게 하고, 나아가서는 우리 백제의 만백성이 쉽게 배우고 익히도록 할까 하옵니다."

성왕이 놀랍다는 듯 눈을 크게 뜨고 물었다.

"허면 저 배달다 천축 스님이 우리 백제 말도 할 줄 아신단 말씀이시오?"

겸익스님이 고개를 끄덕이며 성왕을 쳐다보았다.

"소승이 천축 나라 말을 배우면서 저 배달다 스님은 우리 백제 말을 저한테 배운 사이입니다."

성왕이 웃으며 말했다.

"허허허, 그것 참 신기한 일이구료. 대사께서 천축 말을 배운 것도 신기한 일이려니와 천축 나라 스님이 우리 백제 말을 배웠다니 이거야 더욱 신기한 일이 아니겠소이까? 언제 틈이 나거든 천축 스님이 백제 말을 하는 것을 좀 들려 주십시오."

겸익스님이 고개를 끄덕였다.

"그렇게 하겠사옵니다."

얼굴 가득 미소를 띠고 겸익스님을 바라보던 성왕이 생각난
다는 듯 물었다.

"헌데, 대사께서는 천축국에 가서 과연 어떤 부처님 법을 가
지고 오셨는지요?"

"예. 소승 그동안 우리 백제에는 없던 부처님 계율을 모두 모
셔왔사옵고……."

겸익스님의 말을 막고 성왕이 다시 물었다.

"부처님 계율이라면 대체 어떤 것이든가요?"

"불도를 닦음에 있어 반드시 지켜야 할 계율이니, 곧 법도를
규정한 것이옵지요."

"또 그리고요?"

"천축 나라 말로 되어있는 아비담이라는 책을 가져왔사옵니
다."

"허면 그 천축 나라 말로 되어있는 그 경책들을 모두 다 한
문 글자로 옮길 것이다 그런 말씀이시오?"

겸익스님이 간절한 눈빛으로 성왕을 쳐다보며 말했다.

"대왕마마께서 허락만 해주신다면 소승은 그것이 소원이옵니
다."

성왕이 아무 걱정 말라는 듯 시원스레 답했다.

"대사께서 소원이시라면 내 무엇이든지 다 도와드릴 것이니 아무 염려 마시고 뜻대로 하십시오."

"성은이 망극하옵니다."

이 당시 겸익스님이 인도에서 들여온 오부 율장과 아비담은 그야말로 우리나라 불교 역사상 획기적인 일이었다.

이로부터 우리나라 불교가 불교다운 기틀을 잡아가게 되었다고 해도 지나친 말이 아닐 것이다.

성왕으로부터 오부 율장의 번역 사업을 허락받은 겸익스님은 뛸 듯이 기뻐하며 흥륜사로 돌아왔다.

겸익스님은 흥륜사에 도착하자마자 사미승을 불렀다.

"이것 보아라."

사미승이 뛰어와서 대답했다.

"예, 스님."

"흥륜사 모든 대중들을 한 방에 모이도록 일러라."

"예."

사미승은 얼른 자리를 뜨지않고 겸익스님의 기색을 살피며 궁금하다는 듯 물었다.

"하온데 스님…… 무슨 일이시온지요, 스님?"

사미승의 물음에 겸익스님이 들뜬 목소리로 말했다.

"내 오늘 천축국에서 가져온 값진 보물을 보여줄 것이니라."

"예? 값진 보물이요?"

겸익스님이 천축국 부처님 나라에서 가져온 값진 보물을 보여 준다고 하니 흥륜사 대중들은 과연 어떤 보물인가 싶어 잔뜩 기대를 하고 모여들었다.

대중들은 궁금하여 겸익스님을 힐끔거리고 쳐다보기도 하며 서로 수근거렸다.

잠시 대중들이 모이기를 기다리던 겸익스님이 주장자를 쿵쿵쿵 내리치며 입을 열었다.

"그대들은 모두 다 조용히 들으라! 내 오늘 천축국 부처님 나라에서 가져온 진귀한 보물을 그대들에게 보여줄 것이니 함부로 만져서는 아니될 것이다. 다들 알겠느냐?"

대중들은 잔뜩 기대를 하며 한 목소리로 대답했다.

"예."

겸익스님은 대중들을 한 번 둘러본 후 경상 위에 놓여있는 경책들을 가리켰다.

"자, 여기 이 경상 위에 올려놓은 이 수많은 경책들이 내가 꿈에도 그리던 부처님 나라의 진귀한 보물이니, 바로 이 책들이 천축 나라 말로 기록된 부처님의 계율 모두이니라."

겸익스님의 말에 대중들이 경책을 쳐다보며 다시 수근거리기 시작했다.

　겸익스님이 다시 주장자를 내리쳤다.

　"여기 이 경상 위에 놓여있는 이 경책들이 진귀한 보물이라 하니, 그대들은 실망하는 빛이 역력하구나.

　허나 그대들은 똑똑히 알라!

　세속 사람들에게 진귀한 보물은 금과 은이요, 구슬이나 호박이나 수정이 되겠지만은 출가 득도한 수행자들에게는 부처님의 정법이 가장 으뜸가는 진귀한 보물이라 할 것이야.

　어떤 까닭으로 부처님의 정법을 으뜸가는 진귀한 보물이라 하는가?

　내 그대들에게 이를 것인즉 잘들 들으라."

　대중들이 겸익스님을 응시하며 대답했다.

　"예."

　겸익스님은 대중들을 다시 한 번 둘러본 후 천천히 입을 열었다.

　"사람으로 태어났으면 사람다워야 하거늘, 이 세상에는 사람으로 태어났으면서도 사람같지 아니한 짓을 일삼는 자가 많고도 많다.

　그러나 부처님의 정법은 이러한 사람들을 사람다운 사람으로 만들어주시니, 그래서 으뜸가는 보물이라 할 것이니라.

이 세상 모든 중생들은 근심 걱정 속에서 날이 가고 달이 가니, 느느니 주름살이요 나오느니 한숨이니라.

그렇지만 부처님 정법을 배우고 지키면 오만 가지 근심 걱정이 저절로 사라지나니 그래서 으뜸가는 보배라고 하는 것이다.

부처님께서는 이렇게 말씀하셨다.

'사랑하는 사람을 가지지 말라. 미워하는 사람도 가지지 말라. 사랑하는 사람은 만나지 못해 괴롭고, 미워하는 사람은 만나서 괴로우니라'라고 말이다.

이처럼 이세상 모든 중생들은 보고 싶은 사람은 만나지 못해 괴로워하고 미워하는 사람은 만나서 괴로워 하기도 한다.

그러나 부처님 정법을 알고 나면 사랑도 미움도 다 초탈하여 마음이 항상 편안케 되나니 그래서 으뜸가는 보물이라 할 것이다."

겸익스님은 잠시 말을 멈추고는 천축국에서 온 배달다스님을 소개하였다.

"이제 여기 오신 이 천축국 스님 배달다삼장께서 나와 더불어 이 부처님 정법을, 우리 모두가 보고 배울 수 있도록 한문 글자로 옮길 것이니라.

여기 모인 대중 가운데 천축 나라 말을 배우고 익혀서 이 보물을 제것으로 만들고자 하는 사람은 누구나 다 나서도록 하라."

이날부터 겸익스님은 성왕의 후원을 얻어 전국 방방곡곡 사찰에 사발통문을 돌리게 하였다.

겸익스님의 부름을 받은 사미승이 급히 달려왔다.

"스님, 부르셨사옵니까?"

"그래."

겸익스님은 사미승에게 사발통문을 보이며 말했다.

"이 사발통문을 모든 사찰에 보내어 불경을 제대로 읽을 줄 아는 사람은 모두 흥륜사로 모이게 할 것이다."

겸익스님으로부터 사발통문을 받아든 사미승이 사발통문을 내려다보며 걱정스런 표정으로 겸익스님에게 물었다.

"하오면 수수십 명이 몰려오게 되면 그 많은 수행자들을 다 어찌 하시려구요, 스님?"

"뜻이 있는 자는 수수십 명이건 수수백 명이건 모두 다 받아들일 것이되, 그 가운데 영특한 자는 특별히 골라 천축 말을 가르쳐서 부처님 정법을 한문으로 옮기게 할 것이니라."

사미승이 눈을 반짝이며 겸익스님에게 말했다.

"천축 나라 말이 참 재미있던데요, 스님?"

겸익스님은 천축 나라 말이 재미있다는 사미승을 쳐다보며
물었다.

"천축 나라 말이 재미있더라고?"

사미승이 의기양양해서 대답했다.

"예, 스님. 소승도 천축 나라 배달다 스님께 천축 나라 말을
배웠구먼요, 헤헤."

겸익스님이 미소를 지으며 사미승을 쳐다보았다.

"그래, 천축 말 무슨 말을 배웠드란 말인고?"

"아바로기데스바라, 아바로기데스바라……."

사미승이 더듬거리며 몇 마디를 하자 겸익스님이 마침내 웃
음을 터뜨리며 말했다.

"허허허, 그 녀석! 너 그 말이 무슨 말인지나 알고 그러느
냐?"

사미승이 겸익스님에게 가볍게 눈을 흘기며 말했다.

"참, 스님도…… 소승도 그건 알고 있습니다요. 천축 나라 말
로 '아바로기데스바라'라고 하면 이건 관세음보살이라고 그랬
습니다요. 맞습죠, 스님?"

사미승이 의기양양해 하며 대답을 하자 겸익스님이 고개를
끄덕였다.

"허허허, 그래. 그 녀석, 참 용케도 빨리 배웠구나."

잠시 말을 멈추고 겸익스님의 눈치를 살피던 사미승이 조심스럽게 겸익스님을 불렀다.

"저, 스님."

"왜 그러느냐?"

다시 머뭇거리던 사미승이 겸익스님을 쳐다보며 말했다.

"저 스님께 꼭 한 가지 간청드릴 게 있사옵니다요."

"그래, 무슨 일인지 어디 한 번 말해 보아라."

머뭇거리던 조금 전과는 달리 사미승은 겸익스님을 똑바로 쳐다보며 또랑또랑한 목소리로 말하는 것이었다.

"소승도 스님처럼 이 다음에 천축 나라에 가고 싶으니 제일 먼저 소승부터 천축 나라 말을 가르쳐 주십시오."

의외의 말에 겸익스님이 사미승을 쳐다보았다.

"천축 나라 말을 너부터 가르쳐 달라고?"

"예, 저도 천축 나라에 꼭 가보고 싶어서요 스님."

겸익스님이 엄숙한 목소리로 물었다.

"허면은 그동안 배우라는 그 한문 글자는 제대로 다 마쳤더냐?"

사미승이 자신있다는 듯 말했다.

"스님이 안계시는 5년 세월동안 스님의 무사환국을 비는 불공을 드리는 시간만 빼고는 그 나머지는 하루종일 한문 글자

하고만 씨름을 했습니다요."

"정녕 네가 그리했더냐?"

"예, 5년 동안 내내 하루도 거르지 아니하고 그랬습니다요."

겸익스님의 얼굴에 흡족한 미소가 떠올랐다.

"그래, 그래. 그러고보니 너희들 덕택에 내가 무사환국을 했구나. 천축 나라 말을 가르쳐줄 것이니 열심히 배우도록 해라."

사미승이 기뻐서 얼굴이 환해졌다.

"예 스님, 정말 고맙습니다."

14
실기 시험

    부왕인 무녕왕의 유지를 받들어 불교를 더욱 숭상하고 스님들을 극진히 모신 백제 제26대 성왕은 겸익스님이 목숨을 걸고 천축국에 들어가서 5년만에 가지고 돌아온 진귀한 보물이 과연 어떤 것인지 몹시도 궁금했다.

    그래서 하루는 성왕이 겸익스님을 불러서 물었다.

    "대사님께서 지난번 천축국에서 돌아오셨을 적에 부처님 나라의 진귀한 보물 가운데 율장을 가지고 오셨다고 하셨지요?"

    겸익스님이 고개를 끄덕이며 대답했다.

    "그렇사옵니다."

    "허면 그 율장에는 대체 어떤 진귀한 말씀들이 들어있는지 그걸 좀 말씀해 주실 수 있으시겠소? 난 도무지 무엇이 무엇인지 잘 모르니 말이오."

성왕이 묻자 겸익스님이 자세히 설명하기 시작했다.

"예, 소상히 아뢰겠사옵니다. 지난번에도 잠깐 말씀을 드렸사온데 불경책 가운데 경장은 부처님의 가르침을 그대로 기록한 것이요, 율장은 부처님께서 이르신 계율을 적어놓은 것입니다."

성왕이 겸익스님의 말을 잠시 막으며 머리를 갸우뚱했다.

"가만! 부처님께서 이르신 계율이라고 한다면……?"

"예, 출가 수행자들이 지켜야 할 법도라고나 할까요, 이를테면은 수행자가 해서는 아니될 언행, 수행자가 반드시 지켜야 할 행동 규범을 조목조목 낱낱이 정해 놓으신 것이온데……."

겸익스님의 말을 귀기울여 듣고 있던 성왕이 다시 물었다.

"그렇다면 불교의 율법이 바로 계율이다 그런 말씀이시오?"

겸익스님이 고개를 끄덕였다.

"그렇사옵니다. 나라에도 국법이 있어 그 법을 어기는 자에게 벌을 내리듯이 부처님 가르침에도 계율이 있는 셈이지요."

성왕이 궁금하다는 듯 다그쳐 물었다.

"허면 대체 그 계율에는 어떤 것들이 정해져 있다는 것인지요?"

"예, 부처님께서 이르신 계율은 그 조목이 하도 많아서 그 많은 계율을 낱낱이 다 말씀드리기는 어렵사옵니다만 예를 들어 말씀을 올리자면……."

"음! 그래요, 대충대충 몇 가지만 어디 말해 보시오."

"예. 출가 수행자는 음욕을 끊어야 할 것이니 음행을 금하는 계율을 맨처음에 이르셨사옵니다."

성왕이 다시 물었다.

"아니, 하필이면 어찌하여 음행을 금하는 계율부터 이르셨다는 말씀이시오?"

"부처님께서 이 불음계를 설하신 데에는 그만한 까닭이 있었사옵니다마는……."

"그만한 까닭이 있었다니? 그 까닭을 소상히 말해 보시오."

"예. 하오면 소승, 부처님께서 불음계를 설하시게 된 연유를 말씀 올리도록 하겠습니다."

겸익 스님은 물 한 모금을 마시고 나서 천천히 이야기를 하기 시작했다.

"부처님을 따르는 제자들이 천여명을 넘기면서부터 그 수효는 갈수록 늘어났습니다."

"아니 그러면 그 많은 사람들이 어디서 잠을 잤더란 말이시오?"

"예, 부처님께서 당부하신대로 수행자는 나무밑에서 자는 것을 원칙으로 삼았다고 하옵니다."

"허면 대체 그 많은 사람들이 무엇을 먹고 살았더란 말이시오?"

"예, 부처님께서는 당신도 스스로 마을로 내려가 탁발로써 사셨다고 하옵니다."

"탁발이라면……?"

성왕은 탁발이 무슨 말인지 모르겠다는 듯 겸익 스님에게 되물었다.

"예, 탁발이라 함은 걸식을 이름이니, 다시 말씀드리자면 손에 밥그릇을 들고 집집으로 다니면서 먹을 것을 조금씩 얻는 것을 불가에서는 탁발이라 이릅지요."

"아니 그러면 부처님께서 세상의 하찮은 걸인들마냥 밥을 동냥하러 다니셨단 말씀이시오?"

"그렇사옵니다. 부처님 당신께서 스스로 밥을 얻어 자셨으니 다른 제자들도 모두다 탁발로써 살아갔다 하옵니다."

"허허, 아니 그러면 그 많은 사람들이 동냥질을 해서 얻어먹고 살았더란 말이시오?"

"대왕마마, 아뢰옵기 황송하오나 부처님과 그 제자분들이 음식을 얻어 자신 것은 세속의 걸인들이 밥동냥을 한 것과는 다르다 할 것이옵니다."

"무엇이, 어떻게 다르다는 말이시오?"

"예, 부처님께서 이르시기를 출가수행자는 무소유(無所有)를 근본으로 삼아야 할 것이니, 밥그릇 하나, 옷 한벌로 만족하라 하셨습니다."

"옷 한벌에 밥그릇 하나만 가져라?"

"그렇사옵니다. 대왕마마."

"원 아무리 그렇다고해도 그렇지. 사람이 어떻게 옷 한벌, 밥그릇 하나만으로 살 수가 있단 말이시오?"

"무엇이든 더 가지려고 들면 바로 거기에서부터 온갖 번뇌가 일어나나니, 애시당초 아무것도 소유하지 말라고 이르신 게지요. 그리고 탁발을 하게 되면 자연 아집과 아만심이 사라지게 되나니, 내가 누구다 하는 아만심부터 버리도록 탁발로 살아가라 하신 것이옵니다."

"그러니까, 밥 한술씩이라도 얻어먹으려면 내가 누구다 하는 거만한 생각부터 버려라, 그러셨단 말이시오?"

"그렇사옵니다. 대왕마마. 탁발도 수행의 한 방편이었다, 그렇게 말씀드릴 수가 있겠사옵니다."

"흐흠, 그건 그렇겠구료."

"하옵고 또 부처님 당신이나 제자들로 하여금 탁발로서 살아가게 한데는 또 다른 깊은 뜻이 담겨 있사옵니다."

"깊은 뜻이라니요?"

"부처님이나 부처님의 제자들에게 식은 밥 한술씩이라도 나누어 주는 세상 사람들의 마음 속에, 나누어 주고 베풀어 주는 자비로운 심성을 길러주자는 데 그 깊은 뜻이 담겨 있다 할 것이옵니다."

"나누어주고 베풀어주는 자비로운 심성을 길러준다?"

"예, 그러하옵니다. 대왕마마."

"허긴 그도 그렇겠구료. 식은밥 한덩어리라도 남에게 나누어 먹인다면 그 심성이야 좋은 것이지요."

"그렇사옵니다, 대왕마마. 빼앗는 대신 나누어주고, 해치는 대신 보살펴준다면 그보다 더 착한 심성이 어디에 있겠사옵니까?"

"그래요, 그래요, 그거야 좋은 일이지요. 그래, 그토록 착한 심성만 기르시던 부처님께서 어찌하여 엄한 계율을 정하시고 더더구나 불음계를 먼저 정하셨더란 말씀이시오?"

"예, 부처님 제자 가운데서 어긋나는 일을 저지른 사람이 나타났는지라 그래서 계율을 설하게 되셨다 하옵니다."

"허면 그 연유를 소상히 좀 말해 보시오."

"예. 대왕마마."

겸익 스님은 다시 물로 목을 축이고 나서 성왕께 말씀드렸다.

"부처님의 교단이 이루어진 지 오년째 되던 해였다고 하옵니다. 그 당시 부처님께서는 베살리라고 하는 고을에 머물고 계셨사온데, 그 고을에는 지독한 가뭄이 들어 곡식이 타죽는 지경인지라 부처님과 그 제자분들이 식은밥 한덩이도 얻어먹기가 힘들었다고 하옵니다."

"그거야 그랬을테지요. 가뭄에 흉년이 들면 백성들 먹을 것도 없을 것이니 어찌 남에게 나눠줄 밥이 있었겠소이까."

"그렇사옵니다, 대왕마마. 그래서 부처님도 굶으시고, 제자들도 굶기가 다반사였다고 하옵니다."

"원 저런, 그래서요?"

"그런데 그때 부처님 제자 가운데 수디나라는 수행자가 있었다 하옵니다."

"수디나라?"

"예, 그 수디나라는 이름을 가진 젊은 수행자는 본시 큰부잣집 아들이었사온데 부처님의 가르침을 듣고 삭발출가했던 것이지요."

"그래서요?"

"마침 자기 고향집이 근처에 있는지라, 부잣집인 자기집에 수행자들을 데리고 가서 밥을 먹여주면 좋겠다 생각하고, 부처님도 모르게 여러 수행자들을 데리고 고향 마을로 갔다고 하옵니다."

"잘 생각했구먼. 그, 그래서요?"

"출가한 아들이 마을로 돌아왔다는 소식을 전해들은 수디나의 늙은 어머니는 기뻐하며 쫓아나와 마을밖 나무밑에서 쉬고 있던 아들을 만나게 되었습지요."

"그, 그래서요?"

"어머니는 아들을 끌어안고 눈물을 흘리며 말했습지요."

"이애 수디나야, 정말 잘 돌아왔다. 네가 집을 떠난 뒤, 네 아버님은 돌아가셨고 이 늙은 어미와 네 아내, 이렇게 여자만 남아 있으니 저 많은 재산도 나라에 몰수될 형편이다. 그러니 이제 집으로 돌아가 우리와 함께 살도록 하자, 이렇게 말씀입니다."

"허허, 그래 그 수디나라는 수행자는 뭐라고 대답을 했는지요?"

"예, 하오나 수디나 수행자는 청정한 생활을 즐기고 도 닦을 뜻이 굳어 어머니의 말에 조금도 마음이 흔들리지 않았사옵니다. 상심한 어머니는 두번 세번 아들에게 간청했지만, 아들 수디나는 함께 간 수행자들에게 음식이나 먹여줄 것을 요청할 뿐, 다시 가정으로 돌아가 살 수는 없다고 단호하게 말했사옵니다."

"원 저런! 그래서 어찌 되었다는 말씀이신지요?"

"어머니는 할 수 없이 그날은 단념한 채 집으로 돌아갔습니다만, 다음날 밤 다시 음식을 차려가지고 찾아왔습지요. 헌데 이번에는 수디나의 옛 아내를 곱게 꾸며 데리고 왔습니다 그려."

"허허, 수디나의 옛부인을 데리고 왔더란 말씀이신가요?"

"그렇사옵니다, 대왕마마. 출가하기 전의 아내를 데리고 와서 어머니는 수디나를 한쪽 숲속으로 오게 한뒤에 이렇게 애원하는 것이었어요.

'수디나 네가 수도생활을 정 그만두지 못하겠다면 그건 네 뜻대로 해라. 허나, 집안이 문을 닫지 않도록 오늘밤 네 자식이나 하나 남겨두고 가거라. 씨앗 하나 만이라도 떨어뜨리고 가란 말이다. 이것이 이 늙은 어미의 마지막 소원이구나' 이렇게 간절히 울면서 애원을 했어요."

"허허 저런! 그, 그래서 어찌 되었던 가요?"

성왕도 궁금한 듯 물로 목을 축이면서 다음 이야기를 재촉했다.

겸익스님은 천천히 물을 한잔 다 마시고 나서 다시 이야기를 이어 나갔다.

"가문의 대를 이을 씨앗 하나만 떨어 뜨려놓고 가라는 어머니의 말씀을 차마 거역할 수 없었던 수디나는 할 수 없이 그날 밤 옛 아내와 함께 잠자리에 들었습지요."

"머리 깎은 출가 수행자가 옛 부인과 잠자리를 함께 했다?"

"예, 하오나 이 당시만해도 이건 하지 말아라, 저건 해서는 안된다 하는 계율이 정해지기 전이었으므로 늙은 어머니의 간청을 들어드리는 그 일이 그렇게 큰 허물이 되지는 않을 것이라고 수디나는 생각했던 것이지요."

"허허 그랬었군요. 그, 그래서 어찌 되었던가요?"

"예, 그후 수디나는 일행들과 함께 다시 수행처로 돌아와 수행을 계속하게 되었습지요."

"아 아니, 그 옛부인은 어찌 되었더냐, 그런 말씀입니다."

"아 예, 수디나의 옛부인은 그후 아홉달만에 아들을 낳았다고 하옵니다."

"허허, 거 그러고보니 노모님의 소원은 이루어졌소이다 그려."

"예, 그런 셈이지요. 하오나 그 일이 있은 뒤, 수행자 수디나는 늘 마음이 편안치를 못해 갈수록 인색이 나빠지기 시작했으니, 함께 수행하던 벗들이 수디나에게 그 까닭을 물어보았지요. 수디나는 괴로운 마음을 더이상 견디지 못하고 옛 아내와 동침했던 사실을 숨김없이 수행자들에게 털어놓게 되었습지요."

"허허 그, 그래서요?"

"함께 수행하던 벗들은 괴로워하는 수디나를 도와주고자 이 사실을 부처님께 고하고 수디나의 괴로움을 없애주십사 간청을 드리게 되었사옵니다."

"원 저런! 이제는 부처님까지 그 사실을 아시게 되었더라 이런 말씀이 아니십니까?"

"그렇사옵니다, 대왕마마. 이 사실을 아시게 된 부처님께서는 수디나를 직접 불러 하문하셨습니다.

'수디나여, 그대는 정말 그런 짓을 했느냐?'

'그렇습니다 부처님. 저는 부정한 일을 저질렀습니다.'

'수디나여, 그대는 옳지 못한 짓을 했느니라. 내 일찍이 그대들에게 청정한 법을 수행하여 애욕을 끊고 번뇌를 없애야 한다고 일렀거늘, 어찌하여 그것을 잊어버렸단 말이던고?'

'잘못되었사옵니다 부처님이시여.'

수디나가 무릎을 꿇고 부처님께 잘못을 빌었습니다만, 이때 부처님께서는 모든 제자들을 한자리에 모이게 하시고 준엄하게 말씀하셨사옵니다.

-비구들이여, 그대들은 마땅히 알라. 차라리 남근(男根)을 독사의 아가리에 넣을지언정 여자의 몸에는 대지도 말라. 이와같

은 인연은 악도(惡道)에 떨어져 헤어날 수 없게 되기 때문이니라. 애욕은 착한 법을 태워버리는 불꽃과 같아서 모든 공덕을 없애버리느니라. 또한 애욕은 얽어 묶는 밧줄과 같고, 시퍼런 칼날을 밟는 것과 같느니라. 또한 애욕은 험한 가시덤불 속에 들어가는 것과 같고, 성난 독사를 건드리는 것과 같으며, 더러운 시궁창과도 같은 것이니라.

이제 수디나가 어리석어 큰 잘못을 저지르고 말았으니, 앞으로는 계율을 제정하여 지키게 해야겠다.

내가 계율을 정하는 데는 열가지 뜻이 있으니, 첫째는 교단의 질서를 바로 잡기 위함이요, 둘째는 대중을 기쁘게 하기 위함이요, 셋째는 대중을 안락하게 하기 위함이며, 넷째는 믿음이 없는 이를 믿음이 있게하기 위함이요, 다섯째는 이미 믿음이 있는 사람을 더욱 굳게 믿음을 갖게 하기 위함이며 여섯째는 다루기 힘든 사람을 잘 다루기 위함이요, 일곱째는 부끄러운 줄 알고 뉘우치는 이를 안락하게 하기 위함이요, 여덟째는 오늘의 실수를 없애기 위함이며, 아홉째는 앞으로 일어날 실수를 미리 막기 위함이요, 열째는 바른 법을 오래 가게 하기 위함이니, 내가 정한 근본계율을 어기는 사람은 이렇게 알라. 근본계율을 어기는 사람은 어느 누구든 대중들과 함께 살지 못한다!

─이렇게 부처님께서는 엄히 선언하시게 되었다 하옵니다."

"그렇다면 바로 그때부터 계율이 생겼더라 그런 말씀이시오?"

"그렇사옵니다. 대왕마마. 이때 부처님께서는 맨처음 음행하지 말라고 엄히 이르시고, 그 뒤를 이어, 차례차례 계율을 정하셨는데, 나중에는 남자 수행자인 비구에게는 이백오십가지나 되는 계율이 정해졌고, 여자 수행자인 비구니에게는 삼백사십여덟가지에 이르는 많은 계율이 정해지게 되었사옵니다."

"허허 아니 그러면 스님네들이 지켜야 할 계율이 그렇게도 많더란 말이시오?"

"그렇사옵니다, 대왕마마."

"그러하다면, 대사께서 이번에 구해오신 율장이라는 그것이 바로 스님네들이 지켜야 할 계율이더라 이런 말씀이시오?"

"부처님께서 이르신 계율은 출가수행자들이 목숨을 바쳐 반드시 지켜야 할 일이로되, 세속에 살고 있는 사람들도 따라 지키면 두루두루 가정이 평안하고 화목하며 만복이 깃들 것이요, 나아가서 온나라가 태평성대를 누리게 될 것이옵니다."

"오호, 그렇게나 좋은 것이란 말씀이십니까, 대사?"

"그렇사옵니다, 대왕마마. 출가수행자는 물론 온 백성이 살생을 하지 아니 하고, 도적질을 아니하고, 거짓을 말하지 아니하며, 술마시지 아니하고, 음행을 삼가하면, 그보다 더 좋은 세상이 어디에 또 있겠사옵니까?"

"알겠소이다 대사. 그러면 부처님께서는 음행을 금하신 뒤 또 어떤 것을 엄히 금하셨던가요?"

"아, 예. 그 다음으로는 남의 물건을 훔치지 말라는 계를 설하셨고, 그 다음에는 생명을 죽이지 말라는 불살생계를 설하셨지요."

"그리고 또 있으십니까?"

"그 다음에는 거짓말을 하지 말라는 계를 설하셨고, 모함하지 말라, 혼인을 중매하지 말라, 대중의 화합을 깨뜨리지 말라, 비단으로 승복을 짓지 말라, 짐승의 털로 옷을 짓지 말라, 6년이 되기 전에는 새옷을 짓지 말라, 금이나 은 보물을 지니지 말라, 장사를 하지 말라 등 조목조목 낱낱이 이르신 계율이 실로 이루 다 헤아릴 수가 없사옵니다."

성왕이 감탄하며 말했다.

"아하! 그래요? 허면 그토록 많은 그 계율을 한문 글자로 옮기면 대체 나라와 백성이 어떠한 이득을 얻게 된다는 말씀이시오?"

성왕의 물음에 겸익스님이 자세히 설명했다.

"대왕마마께서도 잘 알고 계시듯이 문무백관은 물론 만백성이 부처님의 가르침을 지극정성으로 믿고 배워서 그대로 실행하면 장차 이 나라에는 살인하는 자가 없을 것이요, 훔치고 다투는 자가 없을 것이요, 성내고 미워하고 원수갚는 일이 없을 것이요, 욕심내고 속이는 일이 없을 것이옵니다.”

겸익스님의 말을 열심히 듣고 있던 성왕이 당연하다는 듯 말했다.

“그야 그렇겠지요. 돌아가신 아바마마께서도 그렇게 말씀하셨소이다.”

“하온데, 그토록 좋은 부처님의 가르침을 널리 세상에 전하고 펴자면 우선 출가 수행자들이 좋은 본보기를 보여야 할 것이옵니다.

그런즉, 이 나라 모든 출가 수행자들을 부처님의 가르침대로 수도하고 제도하자면 먼저 부처님의 계율을 제대로 배우고 지켜야 할 것이옵니다.”

성왕이 온화한 미소를 지었다.

“하하하, 거 듣고보니 과연 옳으신 말씀이시오. 자식을 정직하게 키우려면 먼저 그 부모가 정직해야 하고, 제자를 바르게 키우려면 먼저 그 스승이 올바라야 한다 그런 말씀 아니시겠소?”

겸익스님이 고개를 끄덕였다.

"바로 그렇사옵니다."

"옳으신 말씀이오. 그럼 어서 대사님의 뜻대로 부처님의 율장을 한문 글자로 옮기도록 하시오."

겸익스님이 고개를 숙였다.

"성은이 망극하옵니다."

겸익스님의 설명을 듣고난 성왕은 천축국에서 가지고 온 율장을 한문으로 옮기는 일에 앞장 서고 나섰다.

성왕은 친히 어명을 내려 한문과 불경에 달통한 석학들을 모조리 흥륜사에 모이도록 방을 붙이도록 했다.

그러던 어느날 흥륜사에서는, 사미승이 헐레벌떡 겸익스님에게로 뛰어오며 소리쳤다.

"스님, 스님, 스님, 큰일 났사옵니다요."

겸익스님이 가볍게 눈살을 찌푸리며 사미승을 쳐다보았다.

"대체 무슨 일이기에 이리도 호들갑을 떤단 말이드냐?"

사미승이 숨을 헉헉 거리며 말했다.

"아이고 스님, 한문과 불경에 달통한 사람들은 모두들 흥륜사로 집결하라는 어명을 받았다면서 선비들이 줄지어 우리 절로 몰려오고 있습니다요."

겸익스님이 반갑게 웃으면서 말했다.

"아, 그거야 인석아, 잘된 일이지 어째서 큰일났다는 게야?"

사미승이 눈을 크게 뜨며 말했다.

"아이고 스님, 밖을 한 번 내다 보십시오. 몰려온 사람들이 열 명 스무 명이래야지, 소승이 얼핏 보기에도 백여 명도 넘는 것 같사옵니다요."

백여 명이 넘는 사람이 몰려온다는 사미승의 말을 들은 겸익스님은 놀라서 입이 크게 벌어졌다.

"아, 아니, 뭐, 뭣이? 아니 그렇게나 많이 몰려왔다는 말이드냐?"

한문에 달통한 사람, 불경을 읽어낼 수 있는 사람은 모조리 흥륜사로 모이라는 어명을 받고 흥륜사로 찾아온 사람은 과연 백여 명에 이르렀다.

겸익스님은 한편으로는 놀랍고 한편으로는 기쁘기 그지없었다.

모여든 사람들을 쳐다보며 사미승이 겸익스님에게 물었다.

"자, 보십시오 스님, 저렇게 많은 사람들을 다 받아주시렵니까요?"

겸익스님이 얼굴에 미소를 띠며 말했다.

"참으로 기쁜 일이다. 참으로 마음 든든한 일이야."

사미승이 어이없다는 표정을 지으며 겸익스님에게 물었다.

"아니 스님? 기쁜 일이시라니요?"

"아, 옛부터 우리 백제는 학문을 숭상하고 부처님 정법을 받아들였었다. 과연 오늘 보니 학자들이 이리들 많구나."

사미승이 답답하다는 듯 말했다.

"하오시면 스님께서는 저 많은 사람들을 모두 다 우리 흥륜사에서 먹이고 재우실 작정이시옵니까?"

겸익스님이 걱정말라는 듯 사미승을 쳐다보았다.

"나에게 다 생각이 있으니 너는 그런 걱정은 아니해도 될 것이니라."

사미승이 궁금해서 못 참겠다는 듯 다시 물었다.

"아이 참, 대체 어찌 하시려구요?"

조바심을 치는 사미승과는 달리 겸익스님이 태평하게 말했다.

"저 많은 사람에게 다 천축국 말을 가르칠 수는 없는 일이고…… 저 사람들 가운데서도 특출한 인재가 있을 것인즉, 선별해서 뽑으면 될 것이니라."

사미승이 눈을 반짝이며 물었다.

"어떻게 선별하시려구요, 스님?"

겸익스님은 사미승의 물음에는 답하지 않고 사미승에게 분부를 내렸다.

"이것 보아라. 너는 내 방에 지필묵을 준비할 것이로되 필히 종이를 넉넉하게 갖다가 쌓아두어라. 알아들었느냐?"

사미승이 얼른 대답했다.

"예, 분부대로 하겠습니다."

겸익스님은 방 안에 지필묵을 넉넉히 준비하게 한 뒤, 한 사람 한 사람을 차례로 불러들여 요즘의 말로 하면 실기 시험을 보이는 것이었다.

겸익스님의 방으로 한 젊은이가 들어왔다.

겸익스님의 방으로 들어온 젊은이가 쭈뼛거리며 인사를 했다.

"저, 처음 뵙겠사옵니다."

젊은이를 쳐다본 겸익스님이 말했다.

"편히 앉으시지요."

"예."

젊은이가 자리에 앉자 겸익스님이 물었다.

"어디에서 오신 뉘신지……?"

"예, 조산에서 온 박달생이라고 하옵니다."

겸익스님이 고개를 끄덕였다.

"음, 거 원로에 아주 고생이 많으셨겠소이다."

"아, 아니옵니다. 이번 일에 뽑히면 벼슬을 하게 된다기에 힘든 줄도 모르고 달려왔사옵니다."

겸익스님이 고개를 끄덕인 뒤, 준비해 놓은 종이를 가리키며 말했다.

"허시면, 거기 놓인 그 백지에 어디 사는 누구신지 그것부터 한 귀퉁이에 쓰도록 하시지요."

젊은이가 종이를 들여다보며 말했다.

"아, 예. 여, 여기다 이렇게 거처와 이름을 쓰라는 말씀이시지요?"

겸익스님이 고개를 끄덕이자, 젊은이는 얼른 종이에다 거처와 이름을 적은 후 겸익스님을 쳐다보며 말했다.

"다 썼사옵니다."

겸익스님이 조용히 말했다.

"허면은, 이번에는 그 백지에다 글을 쓰시되 알고 있는 '선' 자를 있는대로 다 써보도록 하십시오."

젊은이가 겸익스님의 말을 잘 알아듣지 못했는지 다시 물었다.

"예? '선' 자를 쓰라니요?"

겸익스님이 다시 설명했다.

"한문으로 '선' 자를 쓰시되 먼저 '선' 자도 있고 착할 '선' 자도 있고, '선' 자라는 '선' 자는 아시는대로 모두 다 써보시라는 말입니다."

젊은이가 겸익스님을 쳐다보며 다시 물었다.

"아니 그러면 '선' 자를 넣어서 시를 짓는 것이 아니라 그냥 '선' 자란 '선' 자는 모조리 다 써보라 그런 말씀이시옵니까?"

겸익스님이 얼굴에 미소를 띠며 말했다.

"바로 그렇소이다. 어서 쓰십시오."

이상한 일도 다 있다는 듯한 표정으로 겸익스님을 쳐다보던 젊은이가 대답했다.

"아 예, 알겠습니다요."

벼슬길에나 올라볼까 해서 힘든 줄도 모르고 달려왔다는 이 젊은이는 공부가 짧았던지 먼저 선자, 착할 선자, 신선 선자, 배 선자, 이렇게 네 글자를 써놓고는 더 이상 써내려가지를 못한 채 구슬같은 땀만 뻘뻘 흘리고 있는 것이었다.

잠시동안 그렇게 쩔쩔매던 젊은이가 겸익스님을 쳐다보며 말했다.

"저, 저 말씀입니다요, 스님?"

가만히 지켜보던 겸익스님이 대답했다.

"예, 말씀하시지요."

"이거 원, 갑자기 쓰려니까 글자가 눈 앞에서 빙글빙글 돌아서 말씀입니다요, 잠시 나가서 바람 한 번 쐬고 와서 쓰면 안 되겠습니까요?"

겸익스님이 인자하게 대답했다.

"방이 더워서 그러시는 모양인데, 좋으실대로 하십시오."

젊은이가 좋아라 하고 얼른 일어서려는데 겸익스님이 한 마디 했다.

"허나, 순서를 기다리는 분들이 저리도 많으니까 댁은 내일 아침에 다시 오시도록 하십시오."

겸익스님의 말에 젊은이의 얼굴이 환해졌다.

"아, 아이고 예. 그렇게 합지요, 내일 다시 뵙겠습니다요 스님."

겸익스님은 이렇게 흔쾌히 허락을 해서 그 젊은이를 내보낸 뒤, 다시 한 사람 한 사람씩 불러들여 실력을 점검하는 것이었다.

어떤 사람에게는 '선' 자를 아는대로 쓰라고 하고, 또 어떤 사람에게는 '강' 자를 있는대로 다 쓰라고 하기도 하고, 또 어떤 사람에게는 '불' 자를 아는대로 다 쓰라고 했으니 한문에 달통한 사람인지 아닌지가 단번에 드러나는 것이었다.

그런데 염치 좋게도 다음날 아침에 다시 찾아온 박달생이라 하는 젊은이를 다시 불러들인 겸익스님이 웃으며 말했다.

"그래, 이제 좀 자신이 붙으셨소이까?"

겸익스님의 물음에 젊은이가 자신만만한 목소리로 말했다.

"아 예, 그럼요. 하룻밤 객주집에서 쉬고났더니만 이제야 좀 정신이 드누만요. 오늘은 소생이 '선' 자를 갖다가 서른 자 이상은 쓸 자신이 있습니다요."

젊은이가 웃으며 말하자 겸익스님이 조용히 말했다.

"허면은 오늘은 '비' 자를 쓰도록 하시지요."

젊은이가 눈을 휘둥그렇게 떴다.

"예? 아니 '선' 자가 아니고 '비' 자라니요, 스님?"

젊은이가 안절부절 못하는데도 겸익스님은 느긋하게 말하는 것이었다.

"아닐 비, 견줄 비, 종 비 등 뭐 '비' 자도 많고 많으니 아시는대로 쓰도록 하시지요."

젊은이가 사정조로 말했다.

"아이고 스님, 저 어제 내주신 그 '선' 자로 쓰면 아니되겠습니까요?"

겸익스님이 젊은이를 쳐다보며 태연하게 말했다.

"어제 내드린 '선' 자는 이미 다른 분이 다 써내셨으니 오늘은 '비' 자로 쓰셔야 합니다. 뭐, 내가 알고 있는 '비' 자만 해도 백스물여섯 자가 넘으니 그 가운데에서 예순 자만 옳게 써내시면은 벼슬을 하실 것이오."

젊은이가 원망스러운 눈초리로 겸익스님을 한참동안 쳐다보다가 이내 울상을 지었다.

"아, 무슨놈의 '비' 자가 그렇게도 많습니까요 예?"

15
큰 새가 잡아준 절터

겸익스님은 백여 명의 지망자들을 일일이 만나서 학문의 깊이와 능력을 낱낱이 점검하였다.

그리고는 다묵과 혜인을 비롯한 스물여덟 명의 학식 높은 승려들을 뽑아서 이들로 하여금 천축의 글과 말을 배우게 하고, 스님이 가지고 온 오부 율장을 한문으로 옮기는 일에 직접 나섰다.

그런데 천축국 글로 된 오부 율장을 한문으로 옮기는 작업은 실로 역사적인 큰 일이었다.

하루는 겸익스님의 작업을 곁에서 지켜보던 사미승이 쌓여 있는 경책을 보고 겸익스님에게 물었다.

"스님, 여기 쌓여 있는 이 경책들이 다 율장이옵니까?"

겸익스님이 미소를 띠고 사미승을 쳐다보며 고개를 끄덕였다.

"그렇느니라. 여기 있는 이 묶음이 사분율 예순 권이요, 또이 묶음은 십송율 예순 한 권이요, 여기 이 묶음은 오분율 서른 권이요, 또 그리고 이 묶음은 해탈율, 그리고 이 묶음은 마하승기율 마흔 권이니, 이 다섯 가지 율장을 모두 합하여 오부 율장이라 이르느니라."

사미승이 놀라서 눈을 크게 뜨고 물었다.

"어휴! 하오면 스님, 이 많은 율장들을 대체 어느 세월에 한문으로 다 옮기신단 말씀이시옵니까?"

"일 년이건 삼 년이건 오 년이건 십 년이건, 반드시 내가 죽기 전에 이 역경 불사만은 기어이 마쳐야 할 것이니라."

겸익스님이 손수 구해온 오부 율장은 권수로만 따져도 근 이백 권에 달하는 방대한 분량이었다.

이 엄청난 오부 율장을 한문으로 번역하는 일은 왕실의 도움이 없이는 감히 엄두도 낼 수 없는 어렵고도 어려운 일이었다.

성왕이 다시 겸익스님을 불렀다.

"그래, 대사님께서는 쓸만한 인재들을 만나셨소이까?"

겸익스님이 고개를 숙이며 말했다.

"예, 스물여덟 명이나 되는 학식있는 승려들을 뽑을 수 있었으니, 이것이 모두 대왕마마의 성은인 줄로 아옵니다."

성왕이 흡족한 듯 고개를 끄덕였다.

"음, 허면 그 많은 사람들이 기거하며 공부하자면 흥륜사 가지고는 협소할 것이 아니겠소?"

겸익스님이 대답했다.

"예, 그 사람들 말고도 흥륜사 대중들이 더 있으니 근 오십여 명의 대중이 머물기에는 다소 비좁은 감이 있사옵니다마는 그런대로 참고 견딜까 하옵니다."

성왕이 말도 안된다는 듯 말했다.

"이것 보시오 대사, 그러실 일이 아니시오. 어디 마땅한 자리가 있거든 말씀만 하시오. 내 지체없이 사찰 하나를 새로 지어드리겠소."

"성은이 망극하옵니다."

성왕이 다시 겸익스님을 불렀다.

"헌데 말씀이오, 대사."

"예."

"지난번 대사께서 말씀하시기를 오부 율장 모두를 다 옮기자면 근 이백 권의 책에 이를 것이다 그러셨지요?"

겸익스님이 고개를 끄덕이며 대답했다.

"예, 하오나 소승의 생각으로는 천축국의 사정과 우리 백제의 생활 방도가 서로 다른지라 우리나라의 실정에 맞지아니한 조목은 생략하올까 하옵니다."

성왕이 고개를 갸우뚱하며 물었다.

"천축국과 우리 백제가 생활 방도가 다르다니요?"

"우선 한 가지만 말씀드리오자면, 천축국 사람들은 우리처럼 의복을 갖추어 입고 사는 것이 아니라 헝겊으로 하체만을 가리고 사는 사람이 많사옵니다."

성왕이 눈을 동그랗게 뜨고 물었다.

"아니, 의복을 입지 아니하고 헝겊으로 가리다니요?"

겸익스님이 자세히 설명했다.

"잘 사는 사람은 넉넉한 천으로 몸이며 어깨까지 가리고 사오나 비천한 백성들은 겨우 하체만을 가리고 삽니다."

겸익스님의 말을 듣던 성왕이 웃음을 터뜨렸다.

"허허허허, 그것 참 별 신기한 풍속이 다 있소이다 그려. 그래, 또 다른 풍속은 어떤 것들이 있던가요?"

겸익스님이 말을 이었다.

"천축국에선 집 없이 사는 사람들이 많사옵고, 길거리나 나무 밑에서 먹고 자는 사람들이 많사옵니다."

성왕이 혀를 끌끌 찼다.

"원 저런, 쯧쯧쯧…… 아니 그러다가 동지섣달에 얼어죽기라
도 하면 어찌 한단 말이오 그래?"

　겸익스님이 고개를 설레설레 저으며 말했다.

　"아니옵니다, 대왕마마. 천축국에서는 겨울에도 날씨가 무더
워 눈이 오거나 얼음이 어는 일이 없사옵니다."

　성왕이 고개를 끄덕였다.

　"오호, 그래요? 허면은 또 어떤 풍속이 다르던가요?"

　"낱낱이 말씀을 올리자면은 한이 없겠사옵니다마는, 천축국
에서는 국왕께서는 물론이요 문무백관이나 백성들에게 이르기
까지 사냥을 하는 일이 결코 없사옵니다."

　성왕이 다시 눈을 크게 떴다.

　"사냥하는 일이 없다구요?"

　"그렇사옵니다."

　"대체 무슨 까닭으로 사냥을 하지 않는다는 말이시오?"

　성왕이 궁금해 하자 겸익스님이 자세히 설명했다.

　"예, 천축국에서 사냥을 하지않는 것은 부처님의 계율에 따
른 것이오니 부처님께서는 일찍이 무릇 생명있는 것을 죽이지
말라고 이르셨습니다.

　그래서 천축국 사람들은 상하가 모두 부처님 말씀을 따르기
위해서 사냥을 하지 않음은 물론이요, 짐승의 고기를 사고 파

는 일도 아니하고 있습지요."

성왕이 알겠다는 듯 천천히 고개를 끄덕였다.

"오호, 그래요? 허면 대사님께서 가지고 오신 그 경책 안에 바로 그런 부처님 계율이 들어있다는 말씀이시오?"

"그렇사옵니다. 생명있는 것을 아끼라는 계율은 물론이요, 모든 물건을 아껴서 쓰고 욕심을 줄이고 싸우지 말 것이며, 거짓말과 도둑질까지 금하신 계율이 가득가득 들어있으니, 만일 이 부처님 계율을 문무백관에서 만백성까지 받들어 지킨다면 우리 백제는 그야말로 극락정토가 될 것이옵니다."

겸익스님의 말을 들은 성왕의 얼굴이 환해졌다.

"오호! 듣기만 해도 반가운 일이오. 어서어서 서둘러 그 책을 펴내도록 하시오."

겸익스님은 천축국에서 모시고 온 천축 승려 배달다스님으로 하여금 우리 승려 스물여덟 명에게 천축 글을 가르치게 하고 말을 배우게 했으니, 요즘 같으면 외국인 교수를 특별 초빙한 셈이었다.

이러한 일이 무려 1400여 년 전에 불교의 승려에 의해서 이루어졌으니 외국과의 문화 교류도 사실상 불교가 효시였던 셈이라 하겠다.

겸익스님은 천축국 승려 배달다 스님과 함께 학식 높은 우리 승려들을 지도하는 한편, 오십여 명의 대중이 거처하기에는 흥륜사가 비좁았으므로 새로 절을 지을 자리를 물색하러 다녔다.

나이 어린 사미승을 데리고 이곳저곳을 물색하러 다니던 중의 일이었다.

너무 먼 곳까지 나온 겸익스님을 따라다니다가 걱정이 된 사미승이 겸익스님을 불렀다.

"스님, 스님, 이제 그만 웅진성으로 돌아가셔야지요."

사미승이 아무리 말려도 겸익스님은 들은 척도 아니하고 앞만 보며 걷는 것이었다.

그러다가 문득 걸음을 멈추고는 앞에 보이는 산을 손가락으로 가리키며 사미승에게 말했다.

"기왕에 길을 나선 김에 저기 저 산 속에 한 번 들어가보고 가도록 하자."

사미승이 고개를 저으며 말했다.

"스님, 여기는 사비현 임천 마을이니 우리 절에서 너무 멀리까지 왔습니다요."

사미승의 말에는 아랑곳하지 않고 겸익스님이 앞에 보이는 산을 쳐다보며 말했다.

"가만 있거라. 저 마을 동구밖에서 그 노인이 저 산 이름을 뭐라고 그러셨던고?"

겸익스님이 가리키는 산을 바라보며 사미승이 얼른 대답했다.

"아, 예. 성스러울 성자, 홍할 홍자, 성홍산이라고 그러셨사옵니다요."

"성홍산이라?"

사미승은 앞산을 뚫어지게 쳐다보는 겸익스님과 앞산을 번갈아 쳐다보며 겸익스님에게 물었다.

"저 산이 어째서 그러시옵니까요, 스님?"

겸익스님은 산에서 눈을 떼지 않고 말했다.

"산세가 아주 좋아보이는구나. 어디 한 번 들어가보자."

그리고는 겸익스님은 성큼성큼 앞서서 걷는 것이었다.

사미승이 급히 뒤쫓아 가며 외쳤다.

"스님, 이러시다가 해가 지겠습니다요, 스님--."

이날 겸익스님은 시자인 사미승을 데리고 성홍산 산자락을 오르고 있었는데 스님이 문득 걸음을 멈추고 올려다 보니, 천년 노송 나무 가지 위에 금빛으로 빛나는 큰 새 한 마리가 앉아 있는 것이었다.

그때 마침 큰 새가 갑자기 커다랗게 우짖자 겸익스님의 뒤를 부지런히 따라오던 사미승이 깜짝 놀라서 소리를 질렀다.

"아이고, 깜짝이야!"

겸익스님이 얼른 사미승을 뒤돌아보며 손가락을 입에 대고 조그맣게 말했다.

"소리 지르지 말아라, 새가 놀라겠다."

사미승이 고개를 끄덕이며 조그만 목소리로 말했다.

"아이고, 느닷없이 큰 소리로 울어대니까 소승이 그만 깜짝 놀랬습니다요. 웬놈의 새소리가 저리도 큽니까요 그래?"

겸익스님이 고개를 끄덕이며 말했다.

"새도 크고 아름다우려니와 소리 또한 영롱하기 그지없구나."

겸익스님과 사미승이 가까이 왔는데도 새는 날아가지 않고 계속 우짖는 것이었다.

겸익스님은 새를 똑바로 쳐다보며 고개를 끄덕였다.

"그래, 그래. 내 뜻을 네가 알고 이 자리를 점지해 주었으니 내가 바로 여기에다 절을 한 채 지을 것이니라."

새를 쳐다보며 겸익스님의 말을 옆에서 듣고 있던 사미승이 눈을 동그랗게 떴다.

"예? 아니 스님, 이 산속에다가 절을 지으시겠다구요?"

겸익스님이 사미승을 쳐다보며 웃었다.

"원 녀석, 놀래기는? 아, 그럼 절을 산에다가 짓지 물 한가운

데다가 짓는다더냐? 자, 터를 잡았으니 이젠 그만 어서 돌아가
자."

　이렇게 해서 겸익스님은 지금의 충청남도 부여군 임천면 성
흥산에 새 절터를 정하고 성왕께 아뢰었다.
　성왕이 큰 소리로 웃으며 말했다.
　"허허허허, 아니 그러니까 대사님께서 산을 둘러보고 계시는
데 황금빛 큰 새가 영롱한 소리로 절터를 잡아주더라 그런 말
씀이시오 그래?"
　"그렇사옵니다. 이 웅진성에서 멀리 떨어져 있기는 하오나
산세가 아주 편안하기 그지 없으니 그 자리에 절을 세우면은
부처님의 정법이 세세생생 흥왕할 것이옵니다."
　성왕이 인자하게 말했다.
　"아 그렇다면 어느 누가 감히 반대를 하겠소이까? 내가 사람
을 보낼 터이니 대사님께서 그들을 시켜 새 절을 그곳에 세우
도록 하십시오."
　"성은이 망극하옵니다."
　성왕이 겸익스님을 쳐다보며 물었다.
　"헌데 새로 지을 그 절의 이름은 무엇이라 하시겠소이까?"
　"예, 큰 새가 자리를 잡아주었으니 큰 대자, 새 조자, 대조사

라 할까 하옵니다."

"흐음! 큰 새가 자리를 잡아준 절이라 하여 대조사라…… 그거 아주 그 새가 절 이름까지 다 지었소이다 응? 허허허허……."

성왕이 호탕하게 웃자 겸익스님도 미소를 지으며 말했다.

"이것이 모두 대왕마마의 성은 덕분인 줄로 아옵니다."

성왕이 고개를 저으며 말했다.

"아니지요, 이런 일이 모두 전생의 인연이라 했으니 부처님의 은혜지요."

웃음을 머금고 겸익스님을 바라보던 성왕이 생각난다는 듯 겸익스님을 불렀다.

"대사님!"

"예."

"대사님께서 들려주신 천축국의 풍속이 어찌나 신기하고 재미있던지 한가하면 그 생각을 하고는 혼자 웃고 있소이다마는 천축국에 또 다른 풍속은 없었는지요?"

"예, 천축국에서는 어디를 가나 술 마시는 사람을 볼 수가 없으니 자연 술 마시고 다투고 어지러운 짓을 하는 자가 결코 없사옵니다."

성왕이 궁금하다는 듯 물었다.

"흠, 어쩐 까닭으로 술도 마시지 아니한단 말씀이시오?"

"부처님께서 술 마시는 것을 금하셨으니 그 계율을 지키기 위해 모든 백성이 술을 마시지 아니합지요."

성왕이 웃으면서 물었다.

"허허허허 저런, 아니 부처님께서는 어쩐 까닭으로 술을 금하라 하셨단 말이십니까?"

"부처님께서 이르시기를 술 마시는 데에는 여섯 가지의 허물이 있으니, 첫째는 재산을 낭비하게 되고 둘째는 병을 얻게 되며 셋째는 잘 다투고 넷째는 나쁜 평판을 얻게 되며 다섯째는 화를 잘 내게 되고 여섯째는 지혜가 날로 줄어들게 될 것이니, 그래서 술을 금하라 하셨사옵니다."

고개를 끄덕이며 겸익스님의 말을 듣고 있던 성왕이 말했다.

"어허, 거 정말 듣고 보니 한 치 한 푼도 틀린 데가 없소이다 그려. 허면, 대사님이 가지고 오신 저 율장에 그런 말씀도 다 들어있소이까?"

"그렇사옵니다."

"과연 나라와 백성들을 바로 잡을 좋은 계율이오. 서둘러 펴내도록 하시오!"

"예, 알겠사옵니다."

16
대조사 미륵석불

겸익스님은 천축국에서 모시고 온 천축 승려 배달다스님과 더불어 율장 역경에 진력하는 한편 승단의 계율 확립에도 역점을 두었다.

하루는 겸익스님이 흥륜사 대중들을 모두 모이게 한 후 말했다.

"대중들은 다들 들으라!

우리 대중들은 오늘 부처님의 정법 가운데 율장을 역경하는 일에 진력하고 있거늘 부처님의 말씀을 말씀으로만 배우고 부처님의 계율을 문자로써만 익히면, 그것은 과히 그림 속의 떡을 바라보는 것과 같고, 꿈에 감로수를 마시는 것과 같다고 할 것이다.

부처님께서 일찍이 이르시기를 경과 율을 외우기만 하고 실행치 아니하면은 이는 모래를 삶아서 밥을 지으려는 것과 같은 어리석은 짓이라 하셨느니라.

우리 백제 땅에 부처님의 가르침이 전해진 지 어언 140여 년이 되었다.

그동안 우리는 부처님의 정법이 과연 얼마나 되는지, 어떤 것인지, 그 전부를 알지 못한 채로 지내왔었다.

그러나 이제 지극하신 부처님의 은혜를 입어 천축국으로부터 진귀한 부처님의 정법을 모셔왔으니, 이제부터 우리 백제의 출가 수행자들은 일거수 일투족을 부처님의 율법대로 지켜 마땅할 것이다.

만약 이를 어기는 비구는 부처님의 율법에 적힌대로 엄한 벌을 받아 마땅할 것이다.

허면, 우리 흥륜사 대중들은 내일 아침 공양부터 오관계를 외우고 부처님 율법에 적힌대로 여법하게 공양을 드리는 일부터 시작할 것이니 대중들은 여기 써붙인 계문을 반드시 외워 익혀야 할 것이다."

말을 마친 겸익스님이 주장자를 세 번 내리쳤다.

겸익스님은 부처님이 이르신 계율을 한 가지 한 가지 모든 수행자들이 지키고 실천할 것을 다짐시켰으니, 이때부터 우리

나라 불교계에 서릿발같은 계율이 시행되게 되었다.

사미승이 조용히 겸익스님을 불렀다.

"스님, 소승 한 가지 여쭙고자 하오니 허락하여 주십시오."

겸익스님이 사미승을 쳐다보았다.

"그래, 무슨 일이더냐?"

"내일 아침부터 당장 시행하신다 하오니, 소승 오관계를 베껴오긴 했사옵니다만 무슨 뜻인지를 모르겠사오니 하교하여 주십시오."

겸익스님이 사미승을 쳐다보며 물었다.

"오관계란 다섯 가지를 관하라 함이거늘 그것도 모르겠단 말이더냐?"

사미승이 겸익스님을 쳐다보며 또박또박 말했다.

"공양을 들기 전에 다섯 가지를 관하라는 말씀인지는 알겠사오나……."

사미승이 머뭇거리며 겸익스님만 쳐다보자 겸익스님이 자상하게 설명하기 시작했다.

"출가 수행자는 물론이요, 이 세상 모든 중생들은 음식을 들기 전에 마땅히 다섯 가지를 관하라 하셨음이니, 첫째는 이 음식이 내 앞에 오기까지 얼마나 많은 사람들의 공이 들었는가를 살펴야 할 것이요……."

"예."

"둘째는 과연 나의 덕행이 이 음식을 먹을만한 자격이 있는가 없는가를 살펴야 할 것이며……."

"예."

"셋째는 마음을 방비코자 하거든 마땅히 삼독을 끊어야 함을 살펴야 할 것이요……."

"예."

"넷째는 음식을 약으로 알고 몸이 여위는 것을 그치게 하는 데 족한 줄을 살펴야 할 것이며……."

"예."

"도업을 성취하기 위하여 이 음식을 먹는다는 것을 살펴야 할 것이니, 이를 일러 오관계라 하는 것이다."

사미승이 고개를 끄덕이며 말했다.

"예, 자비하신 법문 내려주시니 참으로 고맙습니다."

다음날 이른 아침 공양 시간이었다.

겸익스님은 오관계를 올리기 전에 제자 하나하나를 지목하여 계율을 점검하였다.

"초입에 앉아있는 혜관은 답하거라."

"예."

"부처님께서 율장에 이르시기를, 음식을 들기 전에는 반드시 오관계를 외우고 그 다음에 음식을 받으라 하셨거니와, 음식을 먹을 적에는 이러이러한 짓을 금한다고 하셨으니 과연 부처님께서는 어떠어떠한 것을 금하라 하셨던고?"

"예, '평발수반 음당학' 이라 이르셨으니 바루를 바르게 들어 음식을 받으라 하셨습니다."

"그리고 또 무엇을 삼가 지키라고 하셨더냐?"

"예, 바루를 바르게 들어 국을 받으라 하셨습니다."

"그 다음에는 또 무엇을 삼가 지키라 하셨던고?"

"예, 밥과 국을 함께 먹어야 할 것이니 밥만 먼저 먹거나 국만 먼저 먹어서는 아니된다 이르셨습니다."

"또 그 다음에는 어찌 하라 이르셨던고?"

"예, 음식을 한쪽에서부터 차곡차곡 먹어야 할 것이니, 한복판부터 파먹거나 이곳저곳을 파먹으면 아니된다 하셨습니다."

"허면은 음식을 먹을 적에는 어찌 하라 이르셨느냐?"

"예, 국 위에 밥을 얹고 또 국을 달라고 해서는 아니될 것이며 밥을 크게 뭉쳐서 먹어도 아니된다 하셨습니다.

또, 옆사람의 음식을 보고 나보다 많다고 시기하지 말 것이며 입을 미리 벌리고 밥을 넣지 말 것이며 음식을 입에 넣을 때에 말하지 말라 하셨습니다."

겸익스님이 흡족한 듯 말했다.

"너는 그만하면 되었느니라."

겸익스님은 아무리 좋은 부처님의 가르침과 부처님의 계율도 실천하지 아니하고 지키지 아니하면 아무런 소용이 없다고 다짐을 하면서 아침마다 제자들을 지목해서 점검을 하는 것이었다.

"오늘 아침에는 공양주, 그대가 답해야 할 것이다."

겸익스님의 지목을 받은 공양주가 섬칫 놀라며 대답했다.

"예."

"부처님께서는 음식을 들때 여법하게 들어야 할 것이니 실로 여러 가지를 조목조목 이르셨다. 그러니 공양주는 음식을 먹을 때 지켜야 할 계를 말해 보아라."

겸익스님의 지목을 받은 공양주가 얼른 답했다.

"예, 음식은 뭉쳐서 입안에 던져 넣어서는 아니된다고 이르셨사옵니다."

"그리고 또 무엇을 안된다 이르셨던고?"

"예, 밥을 먹을 적에 베어 먹지 말라 하셨사옵니다."

"그래, 그리고 또?"

"예, 저, 그, 그리고 또……."

공양주는 말을 잇지 못하고 더듬거리며 겸익스님의 눈치를 살폈다.

그러자 겸익스님이 공양주를 엄하게 쳐다보며 물었다.

"그 다음에는 아무렇게나 마구 먹어도 좋다고 그러셨더냐?"

공양주가 눈을 크게 뜨고는 고개를 저었다.

"아, 아니옵니다."

겸익스님이 큰 목소리로 채근했다.

"그럼 어서 일러라. 대중들이 다 듣고 알도록 큰 소리로 이르거라."

"아, 예. 부, 부처님께서는 또 음식을 먹을 적에는…… 보, 볼을 불룩거리면서 먹지 말라 이르셨사옵고……"

"그리고 또?"

"예, 으, 음식을 먹을 적에 쩝쩝거리면서 씹는 소리를 내지 말라 하셨사옵고……"

겸익스님이 답답하다는 듯 소리쳤다.

"그 다음에 이르신 말씀이 또 있느니라."

"예, 음식을 먹을 적에 후룩후룩 빨아들이면서 먹어서는 아니된다 이르셨사옵니다."

"그 다음은 알고 있느냐?"

공양주는 어찌 할 줄을 몰라하며 겸익스님을 쳐다보며 조그만 목소리로 말했다.

"더, 더 이상은 익히지 못했사옵니다."

겸익스님이 공양주의 등을 주장자로 내리쳤다.

그리고는 못마땅한 표정을 지으며 대중들을 둘러 보았다.

잠시 후 겸익스님이 대중들을 쳐다보며 입을 열었다.

"대중들은 자세히 들으라!"

공양주와 겸익스님의 대화를 숨을 죽이고 듣고 있던 제자들이 얼른 대답했다.

"예."

"부처님께서는 또 이르시기를, 음식을 먹을 적에 혀로 음식을 핥아 먹지 말라고 이르셨고 손에 묻은 밥을 털면서 먹지 말라 이르셨다.

그리고 손으로 음식을 들어 헤치면서 먹지 말 것이요, 더러운 손으로 식기를 잡지 말 것이며 밥그릇 씻은 물을 함부로 버리지 말라 하셨다.

이렇듯 음식을 먹을 적에 지켜야 할 계율만 해도 스물여섯 가지이니라.

다들 내 말 알아들었느냐?"

"예."

겸익스님은 다시 한 번 제자들을 둘러본 후 말을 이었다.

"그동안 우리가 부처님 계율을 몰라서 지키지 아니한 죄도 크다 하려니와, 부처님 계율을 역경하면서 익히 배우고 익혔거늘 알고도 지키지 아니하면은 그 죄 더욱 클 것이니라.

그러니 여기 있는 대중들은 한 구절 한 글자도 어긋나서는 아니될 것이야.

다들 알아들었느냐?"

"예."

음식을 먹을 적에 지켜야 할 계율만 해도 이러했으니 부처님의 계율이 얼마나 세밀하고 서릿발 같았는지를 짐작할 수 있을 것이다.

겸익스님은 이 엄청난 분량의 부처님 계율을 한 조목 한 조목 역경해 나가는 데 커다란 희열을 느끼고 있었다.

겸익스님은 제26대 성왕 5년에 사비현 임천 마을 성흥산에 대조사를 새로 짓고 거처를 옮긴 후에도 오로지 역경 사업에만 불철주야 온 정성을 다 기울였다.

그러던 그 해 여름의 일이었다.

그날 밤에도 겸익스님은 밤늦도록 율장을 한문으로 옮기는 일에 열중하다가 깜박 잠이 들었다.

그런데 일 년 전 대조사 터를 잡을 적에 보았던 그 아름다운

새가 다시 꿈 속에 나타나서 그 영롱한 고운 목소리로 울어대
는 것이었다.

겸익스님은 그 새 울음소리에 도취되어서 자리에서 벌떡 일
어났다.

"아, 아니! 내가 꿈을 꾸었구나. 어느새 동창이 밝아오는 것
을 보니 새벽이 되었구나."

겸익스님은 하도 신기한 생각이 들어서 옆에서 자고 있던 사
미승을 깨웠다.

"아, 애야, 애야, 이것 봐라."

사미승이 잠자리에서 벌떡 윗몸을 일으키며 대답했다.

"예, 스님. 부르셨사옵니까요?"

눈을 비비며 겸익스님을 쳐다보는 사미승에게 겸익스님이 말
했다.

"내가 간밤에 그 크고 예쁜 새 꿈을 꾸었구나."

사미승이 자리를 털고 일어나며 겸익스님에게 물었다.

"새 꿈이라니요, 스님?"

그런데 바로 그때, 방문 밖에서 새 울음 소리가 나는 것이었
다.

겸익스님이 깜짝 놀라며 말했다.

"아니, 저건 바로 그 새 소리가 아니더냐?"

사미승이 고개를 갸웃거리며 대답했다.

"글쎄요."

겸익스님이 사미승을 쳐다보며 틀림없다는 듯 말했다.

"바로 저 새 소리다. 어서 문을 열어 보아라."

"예."

방문을 열고 밖을 내다보던 사미승이 크게 소리쳤다.

"어, 스님, 바로 작년에 보았던 그 새가 법당 위로 날아갔사옵니다요."

"그래? 어디 한 번 따라가 보아야 겠구나."

겸익스님은 하도 신기한 일인지라 사미승과 함께 가만가만 법당 뒤로 다가가 보았다.

먼저 다가간 사미승이 조그만 목소리로 말했다.

"스님, 저기를 좀 보십시오. 바로 그 새가 저기 법당 뒤 빈터에 내려앉아 있습니다요."

"오, 그렇구나."

겸익스님이 사미승이 가리키는 곳을 보니 과연 큰 새가 법당 뒤 빈터에 앉아서는 이쪽을 바라보고 있는 것이었다.

그때 갑자기 사미승이 소리쳤다.

"어? 그만 저 새가 날아가버립니다요."

큰 새가 날아간 하늘을 물끄러미 바라보던 겸익스님이 고개를 갸우뚱하며 말했다.

"어, 거 참 이상한 일도 다 있구나!"

사미승이 겸익스님을 쳐다보며 물었다.

"이상한 일이라니요, 스님?"

"아, 지난번에도 저 새가 절터를 잡아주었는데 이번에는 저기 저 빈터에 불상을 세우라는 게 아니겠느냐?"

"예에?"

겸익스님의 말에 사미승은 입을 크게 벌렸다.

겸익스님은 큰 새가 점지해준 땅이라 하여 지금의 부여군 임천면 성흥산에 절을 새로 짓고 그 절이름을 대조사라고 지었는데, 이번에는 또 꿈에 그 큰 새를 보고 깨어나서 그 새를 다시 보았으니 이를 신기하게 여긴 스님은 그 새가 앉았던 빈 터에 돌을 깎아 미륵불상을 세웠다.

바로 이 대조사 미륵석불은 오늘날까지 그 자리에 서계신 채 보물 제217호로 지정되어 있다.

오늘도 그 옛자리에 그대로 서있는 대조사는 겸익스님의 불심을 그대로 간직한 채 역사의 명소로 남아있으니 참으로 다행스러운 일이라 아니할 수 없겠다.

17
까치밥

백제 제26대 성왕 5년, 그러니까 서기로는 527년 가을이었다.

이무렵 겸익스님은 율장 역경을 통해 이 나라 불교의 계율을 확립하는 한편 과연 어떻게 하면 백제의 만백성들을 부처님의 가르침을 받들고 실천하는 심성 고운 백성들로 교화할 수 있을까 하고 노심초사 하고 있었다.

하루는 하늘을 나는 기러기떼를 쳐다보던 사미승이 겸익스님에게 말했다.

"스님, 기러기떼가 날아오는 것을 보니 곧 겨울이 올 모양입니다요."

겸익스님이 고개를 끄덕였다.

"그래, 벌써 시절이 그리도 깊었구나."

한참동안 하늘을 쳐다보던 사미승이 겸익스님을 쳐다보며 말했다.

"저, 스님? 요 산 밑에 있는 감나무에서 감을 따야겠습지요?"

"아, 그래. 감을 따다가 곶감을 깎도록 해라."

고개를 끄덕이던 사미승이 갑자기 생각났다는 듯 말했다.

"그런데요 스님, 어제 저녁 무렵에 산을 올라오다보니까요 까치들이 감을 파먹고 있더라고요. 스님, 까치는 감이 떫지도 않은가보지요?"

아무렇지도 않게 말하는 사미승의 얼굴을 무심코 쳐다보던 겸익스님이 다시 물었다.

"으음, 가만! 너 방금 무엇이라고 그랬느냐? 까치들이 감나무에서 감을 파먹고 있더라고?"

"예, 스님."

겸익스님이 웃으면서 사미승에게 말했다.

"허허허, 그거 참! 우리가 여태 그걸 모르고 있었구나."

사미승이 겸익스님을 쳐다보며 물었다.

"무슨 말씀이시온지요, 스님?"

"너 말이다. 감나무에서 감을 딸 적에……."

겸익스님을 쳐다보며 사미승이 얼른 대답했다.

"예, 스님."

"높은 가지에 걸린 감은 서른 개가 되었건 스무 개가 되었건 그대로 남겨두어야 할 것이야."

사미승이 영문을 모르겠다는 듯 겸익스님을 쳐다보며 물었다.

"무슨 까닭으로요, 스님?"

"네가 방금 그러지 아니했느냐? 까치들이 감을 파먹고 있더라고……."

사미승이 알겠다는 듯이 씩 웃으며 말했다.

"에이 스님두! 그러니까 까치들이 파먹기 전에 얼른 따야한다는 말씀이지요?"

겸익스님이 고개를 설래설래 저었다.

"아니다. 반드시 그 높은 데 달려 있는 감은 남겨 두도록 해라."

사미승이 도무지 알 수 없다는 표정을 지었다.

"무슨 까닭으로요, 스님?"

겸익스님이 사미승을 쳐다보며 일렀다.

"부처님께서 이르시기를, 목숨있는 모든 중생을 다 아끼고 귀히 여기라 하셨느니라."

사미승이 알고 있다는 듯 대답했다.

"예."

겸익스님은 먼 하늘을 쳐다보며 말을 이었다.

"머지 아니해서 겨울이 오면은 눈이 많이 내려 온 산천을 다 뒤덮을 것이니 그때가 되면은 저 날짐승들은 어디서 먹을 것을 구할 수 있겠느냐?"

그제서야 사미승이 알겠다는 듯 고개를 끄덕였다.

"하오면 스님께서는 저 까치들이 먹을 것을 남겨두어라 그런 말씀이시옵니까요?"

겸익스님이 사미승을 쳐다보며 온화한 목소리로 말했다.

"까치나 사람이나 목숨이 귀하기는 다 같을 것인데, 굶어서 죽는데서야 말이 되겠느냐?"

사미승이 수긍이 간다는 듯 대답했다.

"그건 그렇긴 하온데요."

그런 사미승을 쳐다보며 겸익스님은 다시 당부하는 것이었다.

"내 너에게 단단히 이를 것인즉 감나무에서 감을 딸 적에 까치들 먹을 몫은 반드시 남겨 두어야 할 것이니라."

"예."

사미승은 대답하며 다시한번 겸익스님의 말씀을 되새겨보았다.

겸익스님은 그 해 가을부터는 마을마다 집집마다 찾아다니며 부처님의 가르침을 알려주어 백성들이 실천할 수 있는 길을 열어주고 다녔다.

하루는 어떤 농가에서 겸익스님이 농부에게 부처님 말씀을 전하고 있었다.

"적선지가에는 필유경사라 했으니, 좋은 일을 많이 베풀어서 복을 짓도록 하십시오."

농부가 고개를 끄덕이며 말했다.

"그야 뭐 백 번 천 번 지당하신 말씀입지요. 탁발을 나오셨으니 곡식을 좀 드리도록 할까요?"

겸익스님이 고개를 저으며 말했다.

"아니올시다. 내 오늘은 탁발을 나온 것이 아니라, 이 마을에서 집집마다 감을 딸 적에 저 높은 가지에 달려 있는 감들은 따지를 말고 그냥 저대로 남겨 두어 주십사 그걸 부탁드리러 왔습니다."

농부가 알 수 없다는 표정을 지으며 물었다.

"아이고 스님, 그 말씀은 또 무슨 말씀이시옵니까요? 감나무에 감을 남겨두라니요?"

"적선은 사람한테만 베푸는 것이 아니올시다. 하찮은 미물의 짐승일지라도 산목숨은 사람이나 같은 것인데, 엄동설한에 눈이 내려 덮으면 까막까치들이 굶어 죽는 법입니다.

　그러니 감을 남겨두어 새들이 먹고 살게 하면은 그것도 큰 복을 짓는 일이 될 것입니다.”

　겸익스님의 말을 듣고난 농부가 웃으면서 말했다.

　“아 예, 스님의 말씀을 듣고보니 까막까치가 불쌍하다는 생각도 들기는 드옵니다마는 아 그렇다고 저까짓 저 감 몇 개 남겨둔다고 그게 무슨 복이 되겠습니까요?”

　겸익스님이 웃으면서 타일렀다.

　“허허허, 원 무슨 말씀을? 아, 흉년을 만나 굶어 죽게 되었을 때에 밥 한 그릇 요기시켜준 은혜를 어찌 가볍다 하겠습니까요?”

　농부가 고개를 끄덕였다.

　“아, 예. 스님께서 그리 말씀하시니 남겨둡지요 뭐. 아, 저까짓 감 몇 개 덜 땄다고 굶어죽지는 않을테니까 말씀입니다요.”

　겸익스님이 합장을 하며 고개를 숙였다

　“소승의 뜻을 받아주시니 참으로 고맙소이다.”

　그러자 농부도 얼떨결에 합장을 하며 고개를 숙였다.

　이렇게 해서 마음씨 곱고 착한 백제 백성들은 한 집 또 한 집, 감나무에 까치밥을 남기는 아름다운 풍습을 간직하게 되었다.

이것이야말로 부처님의 자비로운 가르침이 우리나라 백제 땅에 새롭게 꽃피운 것이라 하겠다.

무릇 생명있는 것을 죽이지 말라는 부처님의 계율을 실천하기 위해서 우리의 백제 시대 스님들은 지혜로운 방편을 펼쳐 나갔다.

백성들 사이에서는 언제부터인지 입에서 입으로 이런 말들이 퍼지기 시작했다.

"저, 듣자니 참새 고기를 먹으면 그릇을 잘 깨뜨린다고 그러더구먼. 정말이지, 참새라고 해서 하찮게 여기고 잡아먹을 일이 아니드라니까요."

듣고 있던 아들이 아버지를 보며 말했다.

"그리고 말씀이에요, 아버지. 까마귀를 잡아먹으면요, 깜박깜박 잘 잊어먹는다고 그러던데요. 그러니 아버지도 이젠 까마귀를 잡지 마세요."

옆에 있던 동네 사람 한 명이 또 이렇게 거들었다.

"아이 그, 그 오리도 함부로 잡을 일이 아니더라구. 아, 그때 그 대조사에 계신다는 스님이 그러시는데 오리를 잡아먹으면, 자식을 낳을 적에 손가락과 발가락 사이가 오리발처럼 달라붙은 그런 자식을 낳게된다고 그러시더라고요."

할아버지 한 분도 고개를 끄덕이며 말했다.

"나도 그런 소리를 들었어. 기러기를 잡아먹으면 부부간에 이별 수가 생기고, 원앙새를 잡아먹으면 부부간에 사별 수가 생겨서 남편이 죽거나 마누라가 죽는데요, 글쎄. 그러니 그거 원, 이별 수 사별 수 무서워서 기러기나 원앙새를 함부로 잡겠어? 안그래?"

어린 아들이 또 끼어들었다.

"그리고 말씀이에요, 새끼 밴 짐승을 잡아먹으면요, 큰 벌을 받게된다는 데요, 새끼 밴 짐승을 잡아먹는 집안에는요, 그 집 자손들이 단명한데요 글쎄."

어쩌다가 잔치집에서 돼지를 잡기라도 할라치면 동네 사람들은 그 집은 벌을 받게 될 것이라고 수근거리게 까지 되었다.

생명있는 것을 함부로 죽이지 말라는 부처님의 자비로운 가르침은 우리의 착하고 착한 백제 백성들 사이에 이렇게 번지고 전해져서 수많은 금기어와 아름다운 생활 풍습을 이루어 냈다.

알고보면 이러한 아름다운 심성을 북돋워 가꾸어온 것은 두말 할 필요도 없이 스님들의 가르침 덕분이라고 하겠다.

이 때에 겸익스님이 천축 승려 배달다스님과 백제의 학승 스물여덟 명과 더불어 수 년에 걸친 역사 끝에 드디어 부처님의 율장을 일흔 두 권의 한문 책으로 옮겨 성왕에게 바치니, 성왕은 크게 기뻐하여 손수 서문을 지어 개요전에 봉안케 했다.

또한 이때 겸익스님을 도왔던 백제 학승 다묵과 혜인 두 스님은 이 율장을 해설한 책 서른 여섯 권을 함께 펴냈으니 이 당시 백제 불교의 학문적 깊이가 얼마나 뛰어났는가를 짐작할 수가 있겠다.

겸익스님이 부처님의 율장을 한문으로 옮긴 일흔 두 권의 책을 성왕에게 바쳤을 때, 성왕은 크게 기뻐하며 겸익스님에게 말했다.

"이것 보시오, 대사님. 대사님께서 죽기를 무릅쓰고 수십 만 리 수백 만리 천축국까지 가셔서 기어이 부처님의 정법을 구해오셨더니, 이제는 또 기필코 한문으로 역경하여 고구려도 신라도 감히 구경못한 우리의 부처님 정법을 내놓으셨으니 참으로 장하시고 또 장하십니다."

겸익스님이 고개를 저으며 말했다.

"아니옵니다, 대왕마마! 오늘 이렇게 우리 율장 일흔 두 권을 엮어낸 것은 오직 선왕마마와 대왕마마의 성은인 줄로 아옵니다."

성왕이 고개를 저으며 말했다.

"아니오, 대사님. 아바마마께옵서는 내가 어렸을 적부터 우리 백제에 겸익대사가 계시어 큰 은혜라 하셨습니다.

과연 이 나라에 대사님이 계시어 가르침을 펴시니 백성들 사이에 착한 심성이 골고루 번지고 문무백관들 사이에 겸양지덕이 가득하여 상하가 고루 편안해졌습니다.

더구나 이제 또 대사님께서 이렇듯 대작불사를 이루셨으니, 이 감사한 마음과 기쁜 마음을 감히 어찌 필설로 다 하겠소이까?"

"아니옵니다 대왕마마, 과찬의 말씀이오니 거두어 주시옵소서."

"아니오, 대사님. 이제 이 자랑스러운 부처님의 정법이 우리 백제 만백성에게 골고루 전해져서 아래로는 집집마다 가풍을 바로 세우고 위로는 나라의 기풍을 바로 잡아 국운융창, 국태민안의 기틀로 삼을 것이니, 이 땅에서 부처님의 정법이 세세생생 흥왕할 것이오."

"성은이 망극하옵니다."

성왕이 웃으며 겸익스님에게 말했다.

"이젠 대사님께서는 소원을 말씀하시오. 어떤 소원이든지 내다 들어줄 것이오!"

"소승 다른 소원은 아무것도 없사옵니다."

"그렇게 사양만 하시지 말고 어서 말씀하시오, 대사님의 소원은 과연 무엇이오?"

　성왕이 자꾸 묻자, 머뭇거리던 겸익스님이 성왕을 쳐다보며 입을 열었다.

　"출가 득도한 수행자에게 달리 무슨 소원이 있겠사옵니까? 대왕마마께서도 말씀하신 바와 같이 부처님의 정법이 만백성들에게 골고루 전해질 수 있도록 이번에 완성한 우리 율장 일흔 두 권을 목판에 인각하여 수수백 권 수수천 권을 찍어서 널리널리 배포할 수 있다면은 그 이상 아무 소원도 없사옵니다."

　성왕이 눈을 크게 뜨고 물었다.

　"아니, 그러면은 이 필사본을 목판에 인각하면 그 목판으로 수수백 권 수수천 권을 찍어낼 수 있다는 말씀이시오?"

　겸익스님이 고개를 끄덕이며 대답했다.

　"그렇사옵니다. 한자, 한자, 손으로 베껴서 여러권의 책을 만들기는 어렵사오나, 목판에 새겨놓고 먹물을 묻혀 찍어내면 수수백 권, 수수천 권도 만들어 나누어 줄 수 있을 것이옵니다."

　"오, 그렇다면은 좋소이다. 내 반드시 목판에 인각하여 수수백 권 수수천 권을 찍어낼 수 있도록 기필코 시행할 것이니 아무 염려 마시오."

　"성은이 망극하옵니다."

18
부처님 가르침은 이래서 좋나니

성왕이 겸익스님으로 하여금 천축국에서 가져온 율장을 한문으로 옮기게 하고 불교를 숭상하며 만백성에게 부처님의 가르침을 따르도록 하였으나 일부 신하들은 이를 별로 반가워하지 않기도 하였다.

하루는 어떤 신하가 성왕께 아뢰었다.

"대왕마마, 신이 감히 한말씀 올리고자 하오니 허락하여 주옵소서."

"무슨 말인지 어서 하시오."

"근자에 겸익대사로 하여금 불경을 한문글로 옮기게 하시고, 불교를 널리 신봉케 하심에 적지 않은 폐해가 있는줄로 아옵니다."

성왕이 놀라 물었다.

"폐해가 있다니, 그건 또 무슨 말이시오?"

"예, 대왕마마. 그동안 우리나라는 북으로는 고구려와, 동으로는 신라와 빈번한 싸움을 벌여 백성들은 지치고, 나라 살림은 넉넉한 편이 못되는 처지이온데, 나라를 다스리는 데도 아무 소용이 없고, 농사 짓는 데도 아무 쓸모가 없으며 집을 짓는 일에도 소용되지 아니하는 불경을 옮기는 일에 많은 재물을 쓰시게 하셨으니 이것이 바로 폐해가 되는줄로 아옵니다."

"무엇이라? 나라를 다스리는 데도, 농사짓는 데도, 집짓는 일에도 소용이 없다고 그러셨는가?"

"예, 그러하옵니다. 대왕마마. 불도란 본시 서역국 사람들이나 신봉하는 것인지라……"

"허허 그 무슨 소리! 과인이 겸익대사로부터 듣기로는 중국에서도 천하가 다 불도를 믿는다고 하였거늘 서역국 사람들이나 신봉한다니요?"

"하, 하오나 대왕마마, 중국에서 불도를 신봉케 된 것은 근자에 와서 생긴 일이라 하옵고, 불도가 백성들에게 가르치는 것 또한 국법이 금하고 있는 것이나 별로 다를 것이 없는 줄로 아옵니다."

"불도가 가르치는 것이나 국법이 금하고 있는 것이나 다를 것이 없다?"

"그러한 줄로 아옵니다 대왕마마. 우리 국법에서도 살인을 금하옵고, 도적질을 금하고 있지 아니하온지요?"

"흐음, 그건 듣고보니 그렇구먼 그래. 허지만, 겸익대사 말씀을 들어보면 불도가 살인과 도적질만을 금하라고 가르치는 것은 아니었는데, 어찌 그대는 살인과 도적질만을 말하는고?"

"말씀드리기 황공하오나 대왕마마, 불도에는 이것을 하지 말라. 저것을 하지 말라, 금하는 것이 실로 수없이 많다고 들었사옵니다마는, 그것은 모두 다 삭발 출가한 수행자들에게나 소용되는 것이지 백성들에게 소용되는 것은 별로 없는줄로 아옵니다."

"백성들에게 소용되는 것이 별로 없다?"

"예, 그러한줄로 아옵니다."

"그대의 생각이 그러하다면 과인이 직접 겸익대사를 불러 조목조목 알아볼 것이오."

성왕은 신하를 물리친 뒤, 곧바로 겸익스님을 왕궁으로 들도록 하였다.

겸익스님은 성왕께 예를 갖춘 뒤에 조용히 앉아 성왕의 분부를 기다리고 있었다.

이윽고 성왕이 조심스럽게 겸익스님을 불렀다.

"이것 보시오 대사."

　"예 대왕마마, 말씀 내리시옵소서."

　"아시다시피 과인은 불도에 대해서 별반 아는 것이 없어서 그러하오만, 불도라는 것이 과연 무엇인지요?"

　"아 예, 대왕마마, 본시 불도라는 것은 서역국에서 태어나신 부처님께서 이 사바세계에서 고통받고 사는 중생들을 건져 주시고자 내려주신 가르치심을 의지하고 따르고 실천하는 것이옵니다."

　"허면 부처님이 내려주신 가르치심이라는 것은 살인하지 말라, 도적질 하지 말라, 그런 것이더라 그런 말씀이시오?"

　"아, 아니옵니다 대왕마마. 부처님께서는 본시 서역 가빌라왕국의 태자로 태어나신 분이온데…"

　"왕국의 태자로 태어나셨더란 말이시오?"

　"예 그러하옵니다, 대왕마마."

　"허면 태자로 태어나신 분이 불도를 만들었다는 말이시오?"

　"예, 그러하옵니다 대왕마마."

　"그럼 어디 좀 더 소상히 일러 보시오. 부처님은 어쩐 분이시며, 불도는 또 무엇이며, 가르침은 과연 무엇무엇인지 자세히 좀 일러 보도록 하시오."

　"예 대왕마마, 소승, 분부대로 소상히 아뢰도록 하겠사옵니다."

"편안히 앉아서 이르도록 하시오."

"성은이 망극하옵니다."

겸익스님은 참으로 잘되었다 싶어 차근차근 이야기를 하기 시작했다.

"본시 부처님께서는 서역국 가빌라왕국 정반왕과 마야부인 사이에서 태자로 태어나셨습니다."

"흐음, 그래서요?"

"하온데 불행한 일을 당하셨으니, 태자께서 태어나신 지 이렛만에 어머님이신 마야부인께서 세상을 떠나시고 말았습니다."

"어허 저런, 아니 그러면 그 갓난아기를 어느 누가 양육했더란 말이시오?"

"예, 이모님 되시는 분이 키우셨다 하옵니다."

"허허 그것 참 불행중 다행이었소 그려?"

"예, 그러하옵니다. 헌데, 태자 나이 열두살 되던 해 봄. 정반왕께서는 신하들과 더불어 그해 농사일을 시작하는 제사를 지내러 들판으로 나가셨는데, 그때 태자도 함께 데려갔다 하옵니다."

"흐음, 그, 그래서요?"

"왕이 첫삽을 땅에 꽂고 그해 농사 일을 시작하는 첫의식을 마치자 농부들이 여기저기서 땅을 갈아엎기 시작했습지요."

"그, 그래서요?"

"이때 태자는 농부들이 고생하는 모습을 보고 마음이 몹시 아팠다고 하옵니다."

"그랬겠지요. 과인도 어렸을 적에 농사짓는 농부들을 보면 가엾다는 생각이 들었거든요."

"성은이 망극하옵니다."

"그래서 그 뒤로 어찌 되었다는 것인지요?"

"예, 태자는 그날 또 못볼 것을 보고 말았으니, 농부들이 파헤친 땅속에서 벌레들이 꿈틀거리고 있었는데, 이 벌레를 보고 새들이 날아와 이 벌레들을 사정없이 쪼아먹는 것을 목격하고 말았습니다."

"새들이 벌레 잡아먹는 걸 목격했더라?"

"예, 이때 태자께서는 마음에 큰 충격을 받았다고 하옵니다. 살아보겠다고 발버둥치는 벌레를 왜 새가 잡아 먹어야 하는가, 왜 가난한 농부들만 죽어라 하고 일을 해야 하는가, 이런 생각들로 괴로워하셨다 하옵니다."

"흐흠, 거 아주 생각이 깊으셨던 모양이구료. 보통 아이들 같으면 건성으로 보고 지나칠 수도 있었을 일인데 말이오."

"예, 그러하옵니다, 대왕마마. 일찍 어머니를 여읜 태자께서는 어렸을 적부터 생각이 지극히 깊으셨다 하옵니다."

"그래서, 그 일로 괴로워 하시며 불도를 생각하셨더라 그런 말씀이시오?"

"아, 아니옵니다, 대왕마마. 당시 나이 어리신 태자의 신분으로 곧장 불도를 생각하신 게 아니옵고, 이때부터 세상의 고통을 몸으로 느끼시고, 어찌하여 이 세상 모든 생명있는 것들은 서로 잡아먹히고 잡아먹으며, 태어나고, 나이 먹고, 병들고 죽어야 하는가, 이런 것들을 늘 깊이 생각하는 버릇이 들었다 하옵니다."

"흐흠, 그, 그래서요?"

"아버지이신 정반왕께서는 늘 깊은 생각에 빠져있는 태자를 그런 근심걱정과 번민에서 빠져나오게 하려고 곁에 늘, 같은 또래인 대신의 자녀들을 두어 함께 놀도록 하셨사옵니다."

"허허 그것 참, 묘안을 내셨구료."

"허나, 태자는 친구들과 즐겁게 놀지도 아니하고 궁정생활의 호사마저도 갑갑해 하셨지요. 그리고 하루는 왕께 간청하기를 궁궐밖 세상 구경을 하고 싶으니 허락해 달라고 말씀드렸습니다."

"세상밖 구경을 하고 싶으시다?"

"예, 그래서 아버지인 정반왕께서는 신하에게 분부하여 화려

한 수레를 타고 궁궐 밖 나들이를 하고 오도록 허락을 했습지요?"

"그래, 태자께서는 궁궐 밖으로 나가 무엇을 구경하셨는지요?"

"예, 맨처음 궁궐의 동문을 나섰는데, 비쩍 마른 몸을 지팡이에 의지하고 길을 걸어오는 한 노인을 만나게 되었습니다. 그런데 노인의 모습이 너무도 참혹하고 가엾어서, 저 사람은 어찌해서 저렇게 되었느냐고 신하에게 물었습지요. 이에 신하는 대답해 올리기를 사람은 누구나 나이 먹어 늙으면 다 저런 비참한 모습을 면할 수가 없습니다, 했지요. 그러자 태자께서는 다시 그렇다면 결국 태자인 나도 훗날 저꼴이 된다는 말이냐고 신하에게 물었다 하옵니다. 이에 신하는 차마 그렇사옵니다 하고 대답을 하지 못한채 우물거리고 있다가, 재차 삼차 거짓 없이 말하라는 채근을 받은 끝에 별수없이 대답하기를, 사람은 누구나 다 저렇게 될 운명을 타고 났으니, 어느분도 예외일 수가 없다고 아뢰었지요. 이때 태자는 큰 마음의 상처를 입으셨다 하옵니다."

"그러셨겠습니다 그려. 이제 막 피어오르는 꽃봉오리 같은 나이에 나도 저 늙은이처럼 저토록 비참한 모습이 된다는 사실을 알게 되었으니 어찌 기분이 좋았을 리가 있었겠소."

"그후 태자는 남쪽문 밖에서는 병들어 죽어가는 사람을 만나게 되었고, 그후 또 서쪽문 밖에서는 시체를 떼메고 가는 장례 행렬을 만났습니다. 늙고, 병들어 죽어가는 사람의 비참한 모습을 다 구경하게 되었던 셈입지요."

"허허, 거 왜 하필이면 그런 모습들만 보게 되었더란 말인지원……"

"그후 태자께서는 북쪽문 밖으로 나가셨는데, 여기에서는 출가수행자를 만나게 되셨다 하옵니다."

"출가 수행자를?"

"예, 태자가 보아하니 덥수룩한 머리에 다 해진 누더기를 걸친 사나이가 가까이 걸어오고 있었는데, 행색은 비록 남루했으나 걸음걸이에는 기품이 있어 보였고, 얼굴은 온화하고 편안했으며 두 눈빛이 빛나고 있었습지요.

이에 태자는 자신도 모르게 수레에서 내려 그 수행자에게 머리숙여 인사를 올렸다고 하옵니다. 그리고 그 사람에게 물었사옵니다. 당신은 대체 무엇하는 분이십니까 하고 말씀입니다."

"그랬더니 무어라 대답을 했더란 말인지요?"

"예, 그 사람은 기품있는 목소리로 나직히 말했지요. 나는 일찍이 세상에서 늙음과 질병과 죽음의 고통을 자신과 이웃을 통해 맛보았습니다. 그리고 모든 것이 덧없다는 것을 알게 되었지요. 그래서 나는 부모형제와 이별하고 집을 떠나, 고요한 곳에서 수도를 했습니다. 이 세상 모든 근심걱정 괴로움에서 벗어나기 위해서 입니다. 내가 가는 길은 세속에 물들지 않는 평안의 길이지요.

그 사람은 그렇게 말을 마치자 아주 편안한 걸음으로 제 갈 길을 가버렸습니다. 이때 멀어져가는 수행자의 뒷모습을 바라보고 있던 태자께서는 까닭모를 감격의 눈물을 흘리셨다 하옵니다. 아마도 태자께서는 이때 나도 저 사람처럼 출가하여 수행자가 되리라 결심하셨던 것 같사옵니다."

"흐흠, 그래서 결국 태자께서는 그 일로 출가하게 되었더란 말씀이신가요?"

"태자가 출가할 기미를 보이자 아버지인 정반왕께서는 부랴부랴 서둘러 결혼을 시켰지요."

"허면 태자께서 혼인을 하셨더란 말씀이시오?"

"그렇사옵니다 대왕마마. 아버지이신 왕의 명을 거역할 수는 없는 법. 그래서 태자는 이웃 외가 나라 대신의 딸 야쇼다라를 태자비로 맞아들여 아들까지 하나 두게 되었습지요."

"부인에 아들까지 두셨더란 말이시오?"

"그렇사옵니다. 허나, 궁중의 호사도 아름다운 부인도, 예쁜 아들도, 태자의 마음을 사로잡지는 못했으니, 태자는 늘 사람은 어찌하여 태어나고 늙고 병들어 죽는가, 그리고 어찌하여 세상에는 갖가지 근심 걱정 괴로움이 끝없이 일어나는가, 그런 의문에만 사로잡혀 있었사옵니다.

그러다가 태자는 어느날 밤, 아무도 모르게 마부만을 데리고 궁궐의 담을 넘어 출가하셨지요. 궁궐에서 멀리 떠난 뒤, 태자는 마부와 옷을 바꾸어 입고 마부는 궁궐로 돌려보낸뒤 홀홀 단신으로 고행의 길로 들어섰지요."

"고행의 길이라고 하시면…?"

"나무 밑에서 주무시고, 개울물로 목을 축이고, 남의 집에 가서 밥을 얻어 먹고, 그리고는 조용히 정좌하고 앉아서 생각에 생각을 거듭해나가는 수행자의 길로 들어섰다는 말씀이옵니다."

"원 저런, 세상에 부러울 게 아무것도 없었던 왕국의 태자가 왕궁도 버리고 처자식도 버리고 누더기 옷에 밥까지 비럭질을 해가며 생고생을 사서 하다니요…"

"그렇사옵니다 대왕마마. 태자께서는 6년동안 온갖 고행 끝에 온 몸이 해골처럼 마르게 되셨습니다. 허나, 그때까지 아직 깨달음을 얻지는 못하셨지요. 그래서 태자께서는 한 생각을 돌리셨습니다. 이렇게 육신을 괴롭힌다고 해서 진리가 깨달아지는 것은 아니었구나. 태자는 숲속 고행을 중단하시고 강가로 내려와 소젖을 짜고 있던 한 소녀로부터 우유를 얻어 마셨습니다. 그리고는 흐르는 강물에 몸을 씻었습니다. 이때 새로운 기운이 용솟음쳤지요. 태자는 다시 보리수 나무아래 수도처를 정하고 용기백배해서 수행하기 시작했습지요. 그리고 이렇게 다짐하셨다고 하옵니다.

'내 진리를 깨닫기 전에는 결코 자리에서 일어나지 않으리라.'

이렇게 굳게굳게 다짐하고 수행하기 이레째 되던날 새벽, 태자께서는 문득 진리를 깨닫게 되었습니다. 근심 걱정도 괴로움도 번뇌도 원래 없다는 진리. 태어나는 일도, 늙는 일도, 죽는 일도 원래 없는 진리. 나와 세상, 나와 천지가 둘이 아니요, 내가 곧 세상이요, 나와 천지만물이 하나인 진리. 이제 태자께서는 진리를 깨달은 부처님이 되신 것이지요."

"허허, 그 그러니까 태자가 진리를 깨달아서 부처님이 되셨다, 이런 말씀이시오?"

"그렇사옵니다, 대왕마마. 저희가 석가모니 부처님이라 부르는 것은 석가족 출신으로 크게 진리를 깨달으신 분이라는 뜻이옵니다."

"진리를 크게 깨달으신 분이 부처님이시다?"

"그렇사옵니다. 대왕마마."

"허면, 부처님이 깨달으셨다는 진리가 대체 어떤 것이란 말씀이오? 나와 세상이 하나라느니, 나와 천지만물이 하나라고 하셨는데, 짐은 그 말씀이 무슨 말씀인지 도통 알아듣기가 어려우니 말입니다."

"예 대왕마마. 부처님께서 깨달으신 진리는 차차 소상히 아뢰옵겠사옵니다만, 우선 한가지만 말씀드리도록 하겠사옵니다."

"그러시오."

"부처님께서는 이렇게 말씀하셨습니다. 이 세상에는 극단으로 치우치는 두가지 길이 있다. 하나는 육신의 요구대로 자신을 내맡겨 버리는 쾌락의 길이 있고, 다른 하나는 육신을 지나치게 학대하는 고행의 길이다. 이는 거문고의 줄과도 같아서 너무 바짝 졸아 매어도 제소리가 나지 아니하고, 너무 느슨하게 줄을 매어도 거문고의 제소리가 나지 아니하는 것과 같다 할 것이다. 그러므로 우리는 알맞은 길, 중도(中道)를 택해야 한다. 쾌락에도 치우치지 아니하고, 학대에도 치우치지 아니한 길, 중도란 무엇인가? 바른 견해, 바른 생각, 바른 말, 바른 행동, 바른 직업, 바른 노력, 바른 기억, 바른 영상, 이 여덟가지 바른 길로 나아가면 이 세상 모든 근심 걱정 외로움은 다 사라진다, 이렇게 말씀하셨습니다."

"흐흠, 허면 또 다른 진리는 없소이까?"

"부처님께서는 또 이렇게 말씀하셨사옵니다. 이것이 있으므로 저것이 있고, 저것이 있으므로 이것이 있다. 그러므로 저것이 없어지면 이것도 없어지고, 이것이 없어지면 저것도 없어진다, 그러셨습지요."

"가 가만⋯⋯."

성왕은 생각이 오락가락 헷갈린다는 듯 가볍게 손을 내저으며 말을 멈추게 했다.

"…이것이 있으므로 저것이 있고, 저것이 있으므로 이것이 있다? 그건 또 대체 무슨 말씀이시오?"

"예, 대왕마마, 소승 말씀해 올리겠습니다. 땅에 풀이 있사옵니다."

"땅에 풀이 있다?"

"예, 하온데, 땅이 없으면 풀이 살아 있을 수 있겠사옵니까, 없겠사옵니까?"

"아 그야 땅이 없으면 풀이 어찌 살 수 있겠소이까?"

"하오면 풀은 무엇을 먹고 살겠사옵니까, 대왕마마."

"그야 물을 빨아먹고 살지요."

"그러하옵니다, 대왕마마. 땅이 없어도 풀은 없고, 물이 없어도 풀은 없사옵니다. 뿐만 아니오라 햇빛이 없어도 풀은 없사옵니다. 뿐만 아니오라 바람이 없어도 풀은 없사옵니다."

"그 그건 듣고보니 과연 옳은 말씀인 것 같소이다."

"그러하옵니다 대왕마마. 세상에 있는 모든 것은 저혼자 잘 나서 있는 것이 아니오니, 저 하찮은 풀 한포기도 흙이 있어야 되고, 물이 있어야 되고, 햇빛이 있어야 되고, 바람이 있어야 되옵니다. 하오니 다른 것은 일러 무엇하오리까."

"가만, 가만. 그러니까 이 세상에 있는 천지만물은 서로서로 얽혀있다, 그런 말씀이시오?"

"그러하옵니다, 대왕마마. 우리 사람은 다른 천지만물과 같아서 땅이 있어야 살고, 물이 있어야 살고, 햇빛이 있어야 살고, 바람이 있어야 살 수 있으니, 이 많은 것들 가운데 단 한가지만 없어지면 결국은 차례차례 모두 다 없어지게 되어 있사옵니다. 해서, 부처님께서는 이러한 세상의 이치와 진리를 깨달으시고 말씀하시되, 이것이 있으므로 저것이 있고, 저것이 있으므로 이것이 있나니, 산천초목과 내가 둘이 아니요, 물과 내가 둘이 아니라고 말씀하신 것이옵니다."

"오호, 참으로 놀라우신 말씀이오. 우리는 그저 땅이 있겠거니, 곡식이 있겠거니, 그걸 먹고 살겠거니, 그러고 살아왔거늘, 이 하찮은 것들 가운데서 진리를 보셨다니… 대사님, 내 오늘 비로소 땅이 소중하고, 곡식이 소중하고, 햇빛이 소중하고, 바람이 고마운 줄 처음 알게 되었소이다."

"성은이 망극하옵니다 대왕마마."

"부처님 이야기 듣느라고 시간이 많이 지났으니 오늘은 이만 하시고, 차차 부처님의 진리를 틈나시는대로 들려주시도록 하시오. 부처님 이야기를 들으면 들을수록 내 귀가 더 밝아지고 내 눈이 더 커지는 것 같구료."

"성은이 망극하옵니다…."

19
온 곳도 갈 곳도 따로 없는 법

　백제 제26대 성왕은 선왕의 유훈을 받들어 불교를 숭상하고 겸익스님의 가르침에 따라 덕치를 베풀었다.

　그리하여 백성이 고루 편안하고 국력이 신장되어 즉위 16년 봄에는 나라의 서울을 지금의 부여인 사비성으로 옮기고 나라의 세력을 크게 떨치게 되었다.

　이때에 겸익스님은 이미 번역을 마친 율장을 근거로 해서 승단의 기강을 확립하여 백제 불교의 계율을 바로 잡아갔다.

　하루는 겸익스님이 대중들을 불러 모았다.

　먼저 주장자를 세 번 내려친 후, 겸익스님이 입을 열었다.

　"그대들은 마땅히 잘 들으라.

　그동안 우리 출가 수행자들 가운데는 차마 부처님 제자가 해서는 아니될 막행막습을 해온 자가 있었느니라.

허나 이제 우리는 부처님이 이르신 율장을, 우리가 보고 배우고 지키도록 다 갖추었으니, 이후부터는 이 부처님 율장을 어기는 자는 결코 사찰에서 함께 지낼 수 없을 것이야.

　그러니 이 점을 각별히 유념토록 해야 할 것이니라."

　조용히 듣고 있던 제자들 중에 한 명이 겸익스님을 불렀다.

　"하오면, 스님."

　겸익스님이 제자를 쳐다보았다.

　"그래, 무슨 말이던고?"

　"출가 수행자 가운데 율장을 제대로 지키지 아니하면 그 사람은 사찰에서 쫓아낼 것이다 그런 말씀이시온지요?"

　겸익스님이 엄숙한 표정을 지으며 말했다.

　"그것은 부처님께서 율장에 이르신대로, 큰 죄를 지은 자는 마땅히 사찰에서 내쫓을 것이다. 계율을 어긴 정도가 무겁고 가벼움에 따라 벌을 내릴 것이니라.

　그러니 마땅히 출가 수행자는 일거수 일투족이 계율에서 벗어나는 일이 없도록 해야 할 것이야."

　겸익스님의 말이 끝나자, 조용히 듣고 있던 제자가 다시 겸익스님을 불렀다.

　"하오면, 스님."

　"그래, 또 무슨 말이더냐?"

"스님께옵서는 어쩐 까닭으로 이리도 많은 계율을 모두 다 지키라 이르시는지요?"

겸익스님이 제자들을 둘러보며 설명했다.

"부처님의 법을 따르는 출가 수행자는 모름지기 만백성 앞에 옳고 바르게 사는 본보기를 보여야 할 것이니, 그래야 만백성이 믿고 의지하고 뒤따를 것이다.

인천(人天)의 스승이라고 자처하는 출가 수행자가 만일 살생을 한다면, 과연 백성들이 살생하지 말라는 부처님의 가르침을 믿고 따르겠느냐?"

제자가 얼른 대답했다.

"그야 믿지도 아니하고 따르지도 아니할 것이옵니다."

겸익스님이 제자를 쳐다보며 다시 물었다.

"허면, 만일 출가 수행자가 술이나 마시고 취해서 도둑질을 한다면은 과연 백성들이 도둑질하지 말라는 부처님의 가르침을 믿고 따르겠느냐?"

"그야 믿지도 아니하고 따르지도 아니할 것이옵니다."

겸익스님은 잠시 대중들을 둘러본 후 다시 말을 이었다.

"부모가 자식을 가르침에 있어서도 마찬가지니라.

부모가 본보기를 보이지 아니하면은 제대로 따르는 자가 없는 법이다.

하물며 인천의 스승이라는 출가 수행자야 더 말을 해 무엇을 할 것인가!

　이 땅에서 부처님의 바른 법이 흥하느냐, 쇄하느냐 하는 것은 오로지 그대들이 부처님이 이르신 율장을 지키느냐, 지키지 아니하느냐에 달려있음이니 이 점을 다시 한 번 명심해야 할 것이니라.

　다들 내 말 알아들었느냐?"

　제자들이 입을 모아 대답했다.

　"예 스님, 명심하겠습니다."

　그러나, 일일이 다 외우기조차 힘들 만큼 많고 많은 계율을 엄격히 다 지켜야 한다는 것은 참으로 어려운 일이 아닐 수 없었다.

　고개를 숙이고 잠자코 듣고 있던 사미승이 겸익스님에게 이렇게 묻는 것이었다.

　"저, 스님."

　"그래, 무슨 일이더냐?"

　"율장 말씀이옵니다요."

　겸익스님이 사미승을 쳐다보며 물었다.

　"그 율장이 어떻다는 말이더냐?"

　"대체 부처님께서는 어쩐 까닭으로 이토록 많은 계율을 일러

놓으셨는지요?"

겸익스님은 사미승에게 알기 쉽게 설명하기 시작했다.

"사람의 욕심은 버릇없는 망아지와 같아서 잠시도 고삐를 조이지 아니하면은 마구 날뛰는 성질을 지니고 있는 것이야.

비록 출가 수행자라 하더라도 이 못된 망아지와 같은 욕심을 지니고 있으니, 계율이라는 고삐로 단단히 붙잡아두라는 뜻이다."

사미승이 얼굴을 찌푸리며 말했다.

"고삐도 한두 가지라야 말씀이지요?"

겸익스님은 사미승을 쳐다보며 인자한 목소리로 말했다.

"이것 보아라."

"예, 스님."

사미승이 눈을 반짝이며 겸익스님을 쳐다보았다.

"저자 거리에서 물건을 사고 파는 상인에게도 법도가 있는 법이다."

사미승이 고개를 끄덕이며 대답했다.

"예, 그렇습지요."

"값을 속이거나 수량을 속이거나 무게를 속이거나 하면은 그 상인을 올바른 상인이라고 할 수 있겠느냐?"

"그, 그야 올바른 상인이라고 할 수는 없겠습니다."

"물건을 사고팔 적에 남의 눈을 속이면은 이는 상인이 아니라 기만꾼이니 이런 사람은 남의 집에 들어가서 물건을 훔치는 도둑과 똑같을 것이야."

사미승이 그렇다는 듯 고개를 끄덕였다.

"예, 스님."

겸익스님은 열심히 듣고 있는 사미승을 인자한 눈으로 쳐다보며 말을 이었다.

"나라의 녹을 받고 사는 벼슬아치 가운데에도, 백성에게서 곡식을 두 말 거두어서는 한 말은 제가 사사로이 착복을 하고 나머지 한 말만 나라에 바친다면, 이런 벼슬아치를 제대로 된 벼슬아치라고 할 수 있겠느냐?"

겸익스님의 물음에 사미승이 얼른 대답했다.

"그야 그런 벼슬아치는 도둑놈과 같다고 하겠습니다."

"바로 그렇느니라. 그래서 부처님께서는 티끌만한 잘못도 저지르지 말라고 그토록 많은 계율을 내리신 것이다. 이젠 내 말 알아듣겠느냐?"

그제서야 사미승이 알겠다는 듯 고개를 끄덕였다.

"예 스님, 이제야 잘 알겠습니다."

겸익스님은 당시 백제 불교 승단의 계율을 철저히 확립하여 출가 수행자가 백성들로부터 존경받는 사회 기풍을 진작시키는 한편 더 많은 불교 경전을 중국으로부터 들여와 널리 전파하기 위해 성왕에게 진언을 하기로 마음먹었다.

겸익스님을 성왕이 반갑게 맞았다.
"대사님, 어서 오십시오. 한동안 만나지 못해 허전했소이다."
겸익스님이 고개를 숙이며 말했다.
"그동안 사비성을 새로 축조하시느라고 심려가 많으셨을 줄로 아옵니다."
성왕이 웃으며 말했다.
"허허허, 대사께서도 사비성 곳곳에 새 절을 여러 채 지으시느라고 고생이 많으셨을 것이오."
겸익스님이 고개를 저으며 말했다.
"아니옵니다. 대왕마마의 성은이 막중하였으니 소승은 별로 어려움이 없었사옵니다."
겸익스님은 말을 멈추고는 성왕을 쳐다본 후, 다시 입을 열었다.
"하온데……."
겸익스님은 얼른 말을 하지 못하고 다시 성왕을 쳐다보는 것이었다.

성왕이 무슨 말인가 궁금하여 겸익스님을 쳐다보았다.

"예 말씀하시지요, 대사님."

"소승이 오늘 대왕마마를 찾아뵈온 것은, 중국 양나라에 사신을 보내신다 하옵기로……."

겸익스님의 말이 채 끝나기도 전에 성왕이 얼른 대답했다.

"예, 양나라에 조공도 좀 보내고 사비성 축조에 양나라 공장의 기술을 좀 빌릴까 해서 사신을 보낼까 하오."

성왕의 말을 듣던 겸익스님이 말했다.

"기왕 양나라에 사신을 보내시는 김에, 불교 경책도 두루두루 구해 오도록 하시고 아울러 양나라 공장을 불러오시는 김에 불화를 전문으로 그리는 화공(畵工)도 초빙해 주시오면은 좋을 듯 하옵니다."

겸익스님의 말을 귀담아 듣고 있던 성왕이 말했다.

"으음, 불교 경전은 구해 오도록 하겠거니와 불화를 전문으로 그리는 화공은 또 무엇인지요?"

"예. 천축국에서 듣자하니, 중국에는 이미 절간에 부처님의 가르침을 그림으로 그려서 모시는 불화가 널리 퍼져 있어 그 부처님 그림만을 전문으로 그리는 화공까지도 수없이 많다고 하옵니다."

성왕이 알겠다는 듯 고개를 끄덕였다.

"흐음, 그러니까 절간 안에 부처님 그림을 그려 모시는 화공이다 그런 말씀이시오?"

겸익스님이 고개를 끄덕였다.

"그렇사옵니다."

성왕이 반색을 하며 말했다.

"오, 그렇다면야 우리도 그 화공을 모셔다가 부처님 그림을 잘 그려서 많이많이 모시도록 하십시다 그려, 음?"

겸익스님이 고개를 숙이며 말했다.

"성은이 망극하옵니다."

이렇게 해서 백제 성왕은 양나라에 사신을 보내어 학자인 모시박사와 함께 건축 기술자인 공장, 그리고 불화를 그리는 화공을 초빙했다.

그리고, 이 때에 열반경을 해설한 열반경서 등 많은 불교 경전을 들여오게 하였다.

이 때부터 백제의 사찰에는 벽화와 탱화를 비롯한 백제 특유의 불교 미술이 그 찬란한 꽃을 피우기 시작하게 된 것이다.

바로 이 때가 백제 성왕 19년이었다.

그 해 여름의 일이다.

겸익스님의 부름을 받고 사미승이 겸익스님을 찾았다.

"부르셨사옵니까요, 스님?"

겸익스님은 경책들을 정리하다가 사미승을 쳐다보는 것이었다.

"그래, 여기 좀 앉거라."

"예."

사미승이 조심스럽게 자리에 앉자, 겸익스님은 자신의 경책을 사미승 앞에 내놓으며 말했다.

"이 경책들은 이제부터는 네가 보도록 하고……."

사미승이 눈을 동그랗게 뜨고는 겸익스님을 쳐다보았다.

"아니 스님, 손때 묻으신 이 귀한 경책들을 어쩐 까닭으로 소승에게 주시옵니까?"

겸익스님이 얼굴에 온화한 미소를 지으며 사미승을 쳐다보았다.

그리고는 조용히 말하는 것이었다.

"나는 이제 늙어서 눈이 어두우니, 소용이 없게 되었다."

잠시 후, 겸익스님은 옆에 놓아두었던 목탁까지 사미승 앞으로 내미는 것이었다.

"그리고, 이 목탁도 너에게 줄 것이니 어디 한 번 두드려 보아라."

"스님?"

사미승은 어쩔 줄을 몰라하며 겸익스님을 쳐다보기만 하였다.

그러자 겸익스님이 채근했다.

"아, 어서 한 번 쳐보래는데도 그러는구나."

"예."

겸익스님이 재촉하자, 사미승이 얼른 대답을 하고는 두 손으로 공손하게 목탁을 들고는 목탁을 쳐 보았다.

얼굴 가득 미소를 담고 사미승의 목탁 소리를 조용히 듣고 있던 겸익스님이 흡족하게 웃으며 말했다.

"허허허허, 그만하면은 목탁을 맡길만하게 되었다. 그리고, 이것 보아라."

사미승이 목탁을 조심스럽게 내려놓고는 대답했다.

"예, 스님."

"이제 이 땅에 부처님 계율이 바로 서고 부처님 정법이 고을고을마다 다 전해져서, 이 나라 고을고을마다 독경 소리 들리지 아니하는 곳이 없게 되었으니 나는 이제 산천경계를 두루두루 구경을 하면서 독경 소리 듣는 것을 낙으로 삼을 것이다."

사미승이 눈을 크게 뜨고는 겸익스님을 쳐다보았다.

"하, 하오시면 스님?"

겸익스님은 얼굴에 그대로 미소를 띤 채로 말을 이었다.

"나는 이 길로 먼 길을 떠날 것이니, 너는 이 절에 남아 부지런히 정진하도록 해라."

"하오면 스님, 대체 어디로 가신다 하십니까요?"

"온 곳이 따로 없었거늘 가는 곳인들 따로 있겠느냐?

생야일편 부운기요 사야일편 부운멸이라, 태어남은 한 조각 뜬구름 생겨남이며 죽음은 한 조각 뜬구름 사라짐이라.

본래 뜬구름은 실체가 없는 법, 사람이 나고 죽음 또한 이와 같은 법……"

겸익스님은 이미 지팡이 하나에 몸을 의지한 채 저만치 산길을 휘적 휘적 내려가고 있었다.

사미승이 허둥지둥 뒤쫓아 가며 겸익스님을 애타게 불러댔다.

"스님, 스님, 스니임--"

겸익스님의 뒷모습은 이미 산자락 끝으로 사라진채 겸익스님을 불러대는 사미승의 목소리만이 한동안 허공을 맴돌고 있었다.

그리고 그 이후의 겸익스님에 관한 기록은 어디에도 없다.

중국 고승전에도, 삼국유사에도, 삼국사기에도, 그리고 우리네 스님들이 기록해둔 어떤 고승전에도 더이상의 흔적은 살필 길이 없다.

그러나 겸익스님은 갈 때를 알았으리라. 인연으로 왔던 이 사바세계 백제땅, 이제 인연이 다하여 떠날 때가 되었음을 스님은 알았으리라. 그리하여 스님은 가장 아름다운 열반을 이루었으리라.

정처없이 찾아들어간 깊고 깊은 산속, 지팡이에 의지한 육신이 발걸음을 옮길 수 있을 때까지, 스님은 휘적휘적 걸었으리라.

그리고 마지막으로 스님은 하늘도 보이지 않는 깊고 깊은 산속 편안한 곳에 마지막 누울 자리를 스스로 정하고, 육신에 남아있던 기력을 다하여 나뭇잎을 긁어 모아 스스로 깔고 덮고 편안한 얼굴로 누웠으리라.

우리는 스님의 아름다운 이런 열반을 천화(遷化)라고 부른다.